对外汉语选修课教材

A Chinese Textbook for Elective Course for Foreigners

TIMES

时代

中级汉语报刊阅读教程

（下册）

Newspaper Reading Course
of Intermediate Chinese（Ⅱ）

吴卸耀　编著

图书在版编目（CIP）数据

时代——中级汉语报刊阅读教程（下册）/吴卸耀编著．
北京：北京语言大学出版社，2008 重印
ISBN 978-7-5619-1778-7

Ⅰ．时… Ⅱ．吴… Ⅲ．汉语-阅读教学-对外汉语教学-教材 Ⅳ．H195-4

中国版本图书馆 CIP 数据核字（2006）第 161012 号

书　　名：时代——中级汉语报刊阅读教程（下册）
责任编辑：周婉梅
装帧设计：03 工舍书装工作组
责任印制：汪学发

出版发行：北京语言大学出版社
社　　址：北京市海淀区学院路 15 号　邮政编码 100083
网　　址：www. blcup. com
电　　话：发行部　82303650/3591/3651
编辑部　82303647
读者服务部　82303653/3908
网上订购电话　82303668
客户服务信箱　service@ blcup. net
印　　刷：北京新丰印刷厂
经　　销：全国新华书店

版　　次：2007 年 1 月第 1 版　2008 年 8 月第 2 次印刷
开　　本：787 毫米×1092 毫米　1/16　印张：课本 16. 25　生词表 6
字　　数：357 千字　　印数：3001-5000 册
书　　号：ISBN 978-7-5619-1778-7/H·06228
定　　价：38. 00 元

使用说明

《时代——中级汉语报刊阅读教程》上、下册是一套专为在中国学习了一年汉语的外国学生编写的汉语报刊阅读教材。本教材可供本科二年级上下学期使用，或中级进修生中文报刊课使用，以及短期高级班报刊选修课使用。教学建议：每课分 4 学时（每学时 45 分钟）完成，上、下册各使用一个学期。

报刊阅读教材首先要解决的是选材问题。我们认为，所选的新闻从内容上要有时代性。报刊新闻具有时效性强的特点，今天的新闻到了明天，时效便失去了，最明显的是一些突发事件，但如果所选的是具有时代性的新闻，所报道的事件或人物在较长的时间内都是人们关注的对象，其时效就相对长些。

一定的内容要有一定的形式去表现。报刊新闻的形式即为体裁。长期以来，中国新闻界将报刊新闻主要分为三大类，即消息、通讯和评论，然后在内部作出细分。近年来，深度报道这一新闻体裁也大量出现，包括解释性、调查性、预测性等三种。各类新闻体裁在本教材中均有体现。我们希望通过体现为一定体裁的课文的学习，学生能认识到汉语报刊新闻的写作特点。

其次是所选篇目的语言难度问题。与中级汉语水平相适应，下册字数在 1000～1700 字之间。报刊毕竟是自然语篇，学生在学习时所碰到的主要是词汇问题，我们在词汇方面主要是做了这样一些工作：(1)人名和地名，在每段中第一次（或只一次）出现时，我们在课文中画上线条，目的是让学生认识到这些语言单位的整体性；(2)成语等熟语，我们在课文下专列了条目并进行解释；(3)课文一列出生词，用中文进行解释，并在另册中用英文进行解释；课文二的“读前准备”将课文中生词较多的句子列出，让学生在A、B两个答案中进行选择。我们试图通过这样一些手段来减少学生学习的难度。

本套教材分上、下两册，每册15课，上册分4个单元，下册分5个单元，每个单元有一个综合复习。课文部分由两个部分组成，即课文一和课文二，两者的内容是相关或互补的，主要目的是让学生对相关内容的学习进入一定的深度；在教学上有分工，课文一倾向于精读，课文二倾向于泛读。

对课文一，为适合教学需要，课文前提供了话题背景、体裁和课文分析，课文中每个部分之后列有大体能反映课文内容的“读后问题”，课文后提供新闻词语、句式和生词的中文释义。通过课文一的学习，学生可以了解汉语新闻语篇和汉语报刊词语、句式的特点，熟悉某类话题常用词语，以掌握中文报刊基础知识和报刊阅读技能。

课文二前有一个“读前准备”，列出本文中生词较多的句子，并让学生从A、B两个答案中选择一个恰当的解释，为阅读扫除词汇上的障碍；课文每个部分前，列有大体能反映课文内容的“读前问题”。

课文一后的练习多于课文二。部分练习形式与HSK(高等)相同。单元练习采用HSK(初、中等)的试题形式，用于一个教学阶段后教师组织课堂检测，或学生自我检测使用。全书后还有一个总复习题。

本教材的选文和图片大都出自于最新中国报纸、网络等新闻媒体，在选文后一一标明了出处。由于时间关系，未能与原文作者一一联系上，这里对原文作者表示感谢，请作者与我或出版社联系。

编　者

Overview of the Course

Times—Newspaper Reading Course of Intermediate Chinese (*Vols* Ⅰ & Ⅱ) is a textbook of Chinese newspaper reading intended for international students who have studied in China for a year. The textbook may be used for university sophomores, in an intermediate refresher course, or for a short-term advanced Chinese program. Each lesson is to be completed in four class hours (45 minutes for each class hour), and each volume is to be finished in one semester.

Selection of materials comes first in developing textbooks of newspaper reading. News selected for the textbook must be updated. Today's news may become outdated tomorrow, which is especially true for some emergent events. However, if the content of the news selected keeps up with the times and the events and figures reported are what people are concerned about, the materials will not become outdated in a relatively long period of time.

Different contents need to be expressed in different forms, which are called the styles. At present, newspaper news has been classified into three categories—news, newsletters and news commentaries, each of which can be further subdivided. A great number of deep reports have emerged in recent years, including expository, investigative and predictive news. These textbooks have covered varied news styles. Students are expected to understand the characteristics of the news in Chinese newspapers in terms of the style of writing through learning the lessons in the textbooks.

The second problem is the degree of difficulty of the news selected. Relatively short pieces of news appropriate for intermediate students of Chinese are selected for this textbook. The news selected in Vol. Ⅱ has about 1,000 to 1,700 characters in each piece. After all, newspapers are natural texts, so the main problem for students in newspaper reading is the vocabulary. We have made the following efforts to provide students with support in learning the vocabulary: (1) underlined proper names when they first appeared in the paragraph in the hope of making the students understand the integrity of the linguistic units; (2) listed and explained idioms or set phrases after the text; (3) listed and annotated new words in Chinese in Text 1, and given them annotations in English in the appendix; we have also listed the sentences containing relatively more new words in "pre-reading work" of Text 2. The students are required to select an answer from two alternatives A or B. All these are helpful to the students in lowering the difficulty in reading the news.

The textbooks consist of two volumes. Volume Ⅰ has 4 units and Volume Ⅱ has 5 units, both of which are divided into 15 lessons. A comprehensive review is designed for each unit. The lessons contain two parts—Text 1 and Text 2, which are relevant with or complement each other. Text 1 is mainly for intensive reading, while Text 2 extensive reading.

In Text 1, for the purpose of meeting the needs of teaching, background information about the topic, style of writing and text analysis are provided at the beginning, and "after-reading questions" concerning the text content are arranged after each part of the text. Besides, news words, sentence patterns, and Chinese explanation of new words are presented at the end. The students will understand the characteristics of texts, vocabulary, and sentence patterns of Chinese news; be familiar with those frequently-used words and expressions on certain topics so as to master the fundamental knowledge and reading skills of Chinese newspapers.

There is a "pre-reading work" before Text 2, which lists sentences with relatively more new words in the text. The students are required to select a proper answer from two alternatives A or B so as to overcome the difficulty of vocabulary; "pre-reading questions" regarding the text content are listed before each part of the text.

There are more exercises in Text 1 than in Text 2. Some of the exercise forms are identical with HSK(Advanced). Unit exercises have adopted the form of HSK(Elementary-Intermediate), which can be used by the teachers for tests in the classroom or by the students for self-tests. Moreover, there is a general review at the end of this book.

The texts and pictures selected in the textbooks are mainly from the latest Chinese newspapers and the Internet, and the source for each article is indicated after the text. We failed to contact every one of the original authors. I hereby express my great gratitude to them, and I'd like you to contact me or the press.

The compiler

目 录 Contents

词性简称表

Abbreviations of Speech Labels

名	名词	noun
动	动词	verb
形	形容词	adjective
副	副词	adverb
区	区别词	qualified word;distinctive word (only used to qualify nouns)
量	量词	classifier;measure word
介	介词	preposition
连	连词	conjunction
助	助词	auxiliary word
缀	词缀	affix

第一课

男护士的"特殊"经历

（职业—性别·通讯）

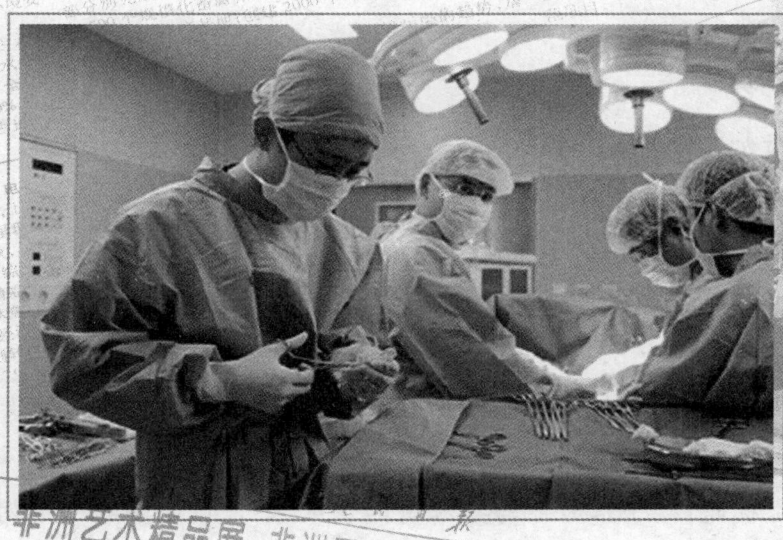

课文一

【教与学的提示】

话题背景

由于受传统观念影响和对护理工作不了解，许多人对医院里的男护士还存在着这样那样的偏见。其实，男护士由于体力好、应急处理能力强，在护理工作中也能发挥重要作用。

体　裁

本文的体裁为通讯。

语篇分析

本文分两大部分。

第一部分为引子，概括地介绍五名男护士的工作情况。

第二部分为主体，共分三个小标题。

第一个小标题："病人点名让他打吊瓶"，说明这位男护士的护理技术水平比较高。

第二个小标题："掉在地上的断指只有他敢捡"，说明男护士的胆子比较大。

第三个小标题："手术时他与病人聊起了足球"，说明男护士能对患者进行心理护理。

男护士的“特殊”经历

王刚、宋俊（jùn）年、丁峰、慕（mù）德功、何文海是吉林大学第一医院手术室的五名男护士，无论是在医学院上学还是现在参加工作，他们一直是同学、同行中的“少数派”。从遭受质疑到获得肯定，从不好意思到满怀自信，在护理工作中，5名小伙子都或多或少有些“特殊”的经历，而这些经历也证明了护理工作男性不仅做得了，而且能做得更好。

读后问题　男护士们的这些经历可以证明什么？

病人点名让他打吊瓶

“刚接触患者时，大多数患者对我们男护士不理解、不信任。”宋俊年还记得他刚到医院实习时，遇到过一位70多岁的老大娘，由于年纪大，打吊瓶时老人的血管特别不好找。“当时，别的护士给她打了几次都没打进去，便让我来试试。老人一看我是个男的，特别惊讶，不停地问我是哪儿毕业的、来了几个月，我感觉得出她心里并不太愿意让我给她打。”但让老人没想到的是，这个小伙子竟然一下就扎成功了。从那以后，不仅这位老人每天打吊瓶都点名找小宋，连老人所在病房的其他患者也都点名让他扎针。

其实，几个小伙子都有过与小宋类似的经历。“我实习时推着送药车一进病房，患者都用一种奇怪的眼神看我。”丁峰提起那时的情景有些无奈。“没办法，为了让患者理解，我就得先想办法和他们处关系，没事就在病房里和他们聊天。可常常是这批患者刚接受我就出院了，新的患者又来了。”

读后问题　那个老大娘开始的时候对宋俊年的态度是怎么样的？后来出现什么情况？

掉在地上的断指只有他敢捡

在急诊室里的一次经历，让王刚至今回想起来还很自豪。“我当时在急诊室工作，有天晚上来了一名因酒后斗殴而断了一根手指的伤者，这名伤者不愿意配合治疗，干脆将断指扔在了地上。”看着地上血淋淋的断指，在场的女医生、护士都不敢捡。一想到每耽误一分钟或一秒钟，都可能直接影响伤者断指重接的成功，王刚二话没说，立即捡起了那根没人敢碰的断指，进行冰冻，最终确保了接指手术的成功。

“其实，我们男护士的优势的确不少。”何文海对此也深有感触，“我前不久上的一个大手术，从上午八点一直站到晚上七点，我一个人要同时配合4名医生，这么长的时间，如果是女护士，体力上可能很难支撑得住。”

读后问题　男护士的优势表现在哪些方面？

手术时他与病人聊起了足球

现代护理工作已不再是打针、送药那么简单，它需要给病人全方位的护理与关怀，其中心理护理就是重要的一环。“很多患者上手术台后都会特别紧张，所以帮患者克服恐惧、放松心情也是我们的工作。”王刚就曾让一名大学生感受了一次“轻松”的手术。“那个大学生做的手术虽然不大，只需要局部麻醉，但当他被推进手术室时还是特别紧张，一直不停地发抖，于是我就和他聊天让他放松。聊天中我得知他特别喜欢足球，这也正是我的爱好，所以我就和他聊经典的足球赛、聊喜欢的球星，很快他的情绪就好了起来，手术也进行得特别顺利。”

王刚刚一讲完自己的这次经历，坐在一旁的慕德功就告诉记者，他们五个人中虽然有两人都已经是本科学历了，但他们今后都有继续进修的打算，希望能不断充实自己，在这个岗位上干出个样儿来。

读后问题　为什么要对患者进行心理护理？怎么进行心理护理？

（《长春日报》2006年5月12日，记者　康磊）

新闻句式

1. 长定语句

（1）从那以后，不仅这位老人每天打吊瓶都点名找小宋，连老人所在病房的其他患者也都点名让他扎针。

（2）其实，几个小伙子都有过与小宋类似的经历。

（3）有天晚上来了一名因酒后斗殴而断了一根手指的伤者，这名伤者不愿意配合治疗，干脆将断指扔在了地上。

（4）一想到每耽误一分钟或一秒钟，都可能直接影响伤者断指重接的成功，王刚二话没说，立即捡起了那根没人敢碰的断指，进行冰冻，最终确保了接指手术的成功。

（5）我前不久上的一个大手术，从上午八点一直站到晚上七点。

（6）王刚刚一讲完自己的这次经历，坐在一旁的慕德功就告诉记者，他们五个人中虽然有两人都已经是本科学历了……

2. **并列项句**

王刚、宋俊年、丁峰、慕德功、何文海是吉林大学第一医院手术室的五名男护士。

生 词

1. 手术室	shǒushùshì	（名）	医院里给病人动手术的地方
2. 同行	tóngháng	（名）	在相同行业工作的人
3. 遭受	zāoshòu	（动）	在不如意的方面受到
4. 质疑	zhìyí	（动）	质问怀疑
5. 满怀	mǎnhuái	（动）	心里充满
6. 护理	hùlǐ	（动）	配合医生为病人做各种事情
7. 打吊瓶	dǎ diàopíng		输液
8. 患者	huànzhě	（名）	病人
9. 信任	xìnrèn	（动）	相信并把事情交给某人
10. 实习	shíxí	（动）	毕业以前试工作
11. 血管	xuèguǎn	（名）	血脉
12. 惊讶	jīngyà	（形）	吃惊
13. 竟然	jìngrán	（副）	表示没想到
14. 扎针	zhā zhēn	（动）	打针
15. 类似	lèisì	（动）	相似
16. 眼神	yǎnshén	（名）	眼睛的表情
17. 无奈	wúnài	（动）	没办法
18. 处关系	chǔ guānxi		人与人交往
19. 急诊室	jízhěnshì	（名）	医院里马上对病人进行治疗的部门
20. 回想	huíxiǎng	（动）	回顾
21. 自豪	zìháo	（形）	骄傲
22. 斗殴	dòu'ōu	（动）	打斗
23. 配合	pèihé	（动）	合作

24. 干脆	gāncuì	（副）	表示用简单的办法去做
25. 血淋淋	xiělínlín	（形）	形容鲜血不断地流的样子
26. 确保	quèbǎo	（动）	确实保证
27. 优势	yōushì	（名）	有利的方面
28. 支撑	zhīchēng	（动）	用力支持
29. 环	huán	（量）	计算圆圈形事物的量词，这里指一个环节或部分
30. 克服	kèfú	（动）	战胜
31. 恐惧	kǒngjù	（形）	害怕
32. 局部	júbù	（名）	整体的一部分
33. 麻醉	mázuì	（动）	使身体不感到疼痛的方法
34. 发抖	fādǒu	（动）	身体抖动
35. 得知	dézhī	（动）	知道，了解到
36. 经典	jīngdiǎn	（区）	典型的
37. 情绪	qíngxù	（名）	心情
38. 充实	chōngshí	（形）	加强
39. 岗位	gǎngwèi	（名）	职位

一、根据课文内容简单回答下列问题

1. 为什么作者要给“特殊”加一个双引号？
2. 那个 70 多岁的老太太看见宋俊年时为什么特别惊讶？
3. 丁峰是怎么跟病人处关系的？
4. 那个断了根手指的患者不配合治疗的原因可能是什么？
5. 王刚为什么要立即捡起那根手指？
6. 何文海遇到的那个手术有什么困难？
7. 以前的护理工作是什么样的？
8. 王刚让那个大学生感受到了一次“轻松”的手术。这里，“轻松”大概是什么意思？

二、解释画线词语，理解句子的意思

1. 王刚二话没说，立即捡起了那根没人敢碰的断指。

   二话没说：

2. 现代护理工作已不再是打针、送药那么简单，它需要给病人全方位的护理与关怀，其中心理护理就是重要的一环。

   一环：

3. 希望能不断充实自己，在这个岗位上干出个样儿来。

   干出个样儿来：

三、问一下你的同桌，他（她）对男护士的看法是怎样的

____

____

四、照例子写出下列动词更多的宾语

1. 遭受质疑　　遭受______　　遭受______　　遭受______
2. 满怀自信　　满怀______　　满怀______　　满怀______
3. 配合医生　　配合______　　配合______　　配合______
4. 确保成功　　确保______　　确保______　　确保______

五、选择合适的词语填进括号内

发抖　　配合　　眼神　　放松　　惊讶　　支撑　　感觉

1. 老人一看我是个男的，特别（惊讶），不停地问我是哪儿毕业的、来了几个月，我（感觉）得出她心里并不太愿意让我给她打。
2. 我实习时推着送药车一进病房，患者都用一种奇怪的（眼神）看我。
3. 从上午八点一直站到晚上七点，我一个人要同时（配合）四名医生，这么长的时间，如果是女护士，体力上可能很难（支撑）得住。
4. 当他被推进手术室时还是特别紧张，一直不停地（发抖），于是我就和他聊天让他（放松）。

六、用所给词语组成完整的句子

1. A. 顺利　B. 手术　C. 进行　D. 特别　E. 得

句子 ______

2. A. 我们　B. 优势　C. 男护士　D. 不少　E. 的　F. 的确

句子 ______

3. A. 需要　B. 全方位　C. 现代护理工作　D. 护理与关怀　E. 给病人　F. 的

句子 ______

4. A. 克服恐惧　B. 放松心情　C. 患者　D. 帮　E. 我们的工作　F. 也是

句子 ______

5. A. 患者　B. 男护士　C. 大多数　D. 我们　E. 理解　F. 不　G. 对

句子 ______

6. A. 护士　B. 别的　C. 她　D. 打了几次　E. 没打进去　F. 都　G. 给

句子 ______

7. A. 心里　B. 她　C. 给她打　D. 愿意　E. 让我　F. 不太　G. 并

句子 ______

8. A. 酒后斗殴　B. 手指　C. 断了　D. 他　E. 因　F. 而　G. 一根

句子 ______

9. A. 他们　B. 继续进修　C. 打算　D. 有　E. 今后　F. 都　G. 的

句子 ______

10. A. 紧张　B. 会　C. 很多　D. 都　E. 上手术台　F. 患者　G. 后　H. 特别

句子 ____________________

七、请用所给的句子组成一段话，并标出标点符号

1. 句子

A. 但当他被推进手术室时还是特别紧张
B. 那个大学生做的手术虽然不大
C. 于是我就和他聊天让他放松
D. 只需要局部麻醉
E. 一直不停地发抖
F. 手术也进行得特别顺利
G. 很快他的情绪就好了起来

语段 ____________________

____

2. 句子

A. 就可以拥有成功和光明的未来
B. 只要能熬得住
C. 护理学的前景很光明
D. 无论男女，只要热爱这份事业
E. 但前行的路却很辛苦

语段 ____________________

____

3. 句子

A. 发现了一张新面孔
B. 但他觉得很满意
C. 瑞金医院副院长郑民华教授日前在熟悉的微创外科手术室里
D. 男护士姜平桂协助他完成了整台手术
E. 虽然第一次和男护士合作

F. 下台后，郑民华对姜平桂点点头

语段 ______________________________

____

课文二

读前准备

选择对下列句子中画线词语的恰当解释

1. 名校毕业生甘当“孩子王”，作为男性加入“阿姨”一统天下的幼教机构，着（zhuó）实是件新鲜事。

   甘当： A. 甘心做 B. 不愿意做

   一统天下：A. 完全统治世界 B. 完全占领某个领域

   着实： A. 确实 B. 确定

2. 虽然目前他的去向尚无明确结果，但男教师在中小学，尤其是幼儿园稀缺却是不争的事实。

   尚： A. 还 B. 已

   稀缺： A. 数量多 B. 数量少

   不争： A. 肯定 B. 否定

3. 在同等条件下，他们会优先考虑招男性，以弥（mí）补长期以来学校师资队伍男女比例的严重失调。

   弥补： A. 把多出来的部分去掉 B. 把不够的部分补出来

   失调： A. 比例失去平衡 B. 比例保持平衡

4. 男老师给他们的印象是，说话直截了当，不拐弯抹角，更有亲和力。

   直截了当：A. 不直接 B. 直接

   拐弯抹角：A. 不直接 B. 直接

   亲和力： A. 能与人亲近 B. 不能与人亲近

5. 上课不照本宣科，而是天南地北无所不谈。

   照本宣科：A. 按照原则来上课 B. 按照书本来上课

   天南地北：A. 相隔很远 B. 各个方面

6. 从事新闻工作的张先生一直对儿子如何转变对作文的态度津津乐道。

津津乐道：A. 很感兴趣地谈论　　　　B. 说话的时候流了很多汗

7. 班上其他孩子的家长和他一样都觉得不可思议，男老师居然能让班里的学生学习突飞猛进。

不可思议：A. 不能理解　　　　B. 不能议论

突飞猛进：A. 进步很快　　　　B. 进步很慢

8. 特别是小学、幼儿园的男孩，他们容易受男教师潜移默化的影响，也需要有男老师来作榜样。

潜移默化：A. 因受影响而发生巨大的变化

B. 因受影响而不知不觉发生变化

某知名大学哲学系男生应聘幼儿园教师引起轰动，此事再度引出老话题——

中小学幼儿园里男教师为啥受欢迎

读前问题　目前出现了什么新情况？

近日，某知名大学哲学系一男生应聘卢湾区思南路幼儿园教师的消息，在社会上引起不小的轰动。名校毕业生甘当“孩子王”，作为男性加入“阿姨”一统天下的幼教机构，着实是件新鲜事。虽然目前他的去向尚无明确结果，但男教师在中小学，尤其是幼儿园稀缺却是不争的事实。

在最近的几场大型师资招聘会上，许多学校都在招聘要求栏里写了“男女不限”字样，但不少小学、幼儿园的负责人私下承认，在同等条件下，他们会优先考虑招男性，以弥补长期以来学校师资队伍男女比例的严重失调。男教师为何受欢迎？学生、家长、专家各有说法。

（一）

读前问题　男老师给学生什么印象？

“男老师都很幽默。”“上他们的课心情放松。”“下课后他们会跟我们一起做游戏、踢足球。”在一次采访中，记者随机问了几个学生对于男老师的感受，没想到旁边的学生也围过来争着发言。在孩子们的心中，男老师给他们的印象是，说话直截了当，不拐弯抹角，更有亲和力；上课不照本宣科，而是天南地北无所不谈；虽然严厉，但不“管头管脚”等等。

另外，学生们普遍反映，男老师会为大家安排更多的课外活动，而且会和学生一起参与其中，女老师尽管也会组织晚会、运动比赛，但她们很少“上场”。

（二）

读前问题　那位男老师的教学方法和效果怎么样？

从事新闻工作的张先生一直对儿子如何转变对作文的态度津津乐道："我儿子上小学的时候，写作文像'挤牙膏'，刚写几行就开始数字数，为没内容可写而苦恼。后来他们班里新来了位男性语文老师，教作文从猎取题材到正确用词都讲得很生动，儿子特别喜欢他，写起作文来也开始'下笔如有神'，毕业时把作文打印出来装订了厚厚两大本呢。"张先生说，班上其他孩子的家长和他一样都觉得不可思议，男老师居然能让班里的学生学习突飞猛进，可能是男教师的的话似乎更容易被孩子"吸收"。

（三）

读前问题　男教师有哪些优势？

目前，男教师在数量上处于弱势，尤其在城市，但这并不表示男教师不重要，相反，许多专家认为，与女教师母亲式、呵护式的教育方法相比，男教师比较注重孩子独立能力、意志力、创造力的发展。只有让处于模仿时期的低龄儿童同时接触到男教师的刚健勇敢和女教师的温柔细腻（nì），他们才能健康成长。"特别是小学、幼儿园的男孩，他们容易受男教师潜移默化的影响，也需要有男老师来作榜样。"嘉定区男教师俱乐部会长汪卫平说。

思南路幼儿园郭宗莉园长接受采访时也谈到，男教师在带领孩子活动能力方面有着干脆果断、个性突出的优势，同时他们全面的思维特点使教研讨论更多元化，更易受到孩子们的欢迎，这是部分女教师所不具备的。

（《新民晚报》2005 年 12 月 27 日，见习记者　徐婉青）

读后分析讨论

一、给本课文三个部分各选择一个合适的小标题

（一）　　A. 家长：男老师的课孩子爱听

（二）　　B. 学生：男老师更有亲和力

（三）　　C. 专家：男女教师应该互补

二、根据课文判断正误

1. 那个应聘幼儿园的大学生已经开始工作。　（　）
2. 在同等条件下，许多小学和幼儿园会优先考虑招男性。　（　）
3. 男教师不会管很细小的事情。　（　）

4. 男教师不善于教学生写作文。　　　　　　　　　　　　（　　）

5. 小学男教师的数量比较少，这说明男教师不重要。　　　　（　　）

三、找出课文中三个以上长定语句

____

____

四、你和你的同桌，一个从患者的角度，一个从幼儿园孩子的角度，分别说说男护士和男教师的优点和缺点

____

____

天南地北：far apart; from different places or areas

无所不～：all-/omni-/inclusive
～

管头管脚：used in translation of "nanny state"
like nagging, micromanaging?

第二课

第五代中国留学生成为民族振兴新希望

（人才—留学生·深度报道）

课文一

【教与学的提示】

话题背景

外国留学生来到中国，同样中国也有很多青年学生去国外留学。以往有许多中国留学生学成以后留在国外定居，如今随着中国经济的发展，从海外归来的留学生大大增加了，海归已成了人们的热门话题。

体　裁

本文的体裁是深度报道中的预测性报道。

语篇分析

本文分三个部分。

第一部分（第一段）为引子，指出华创会上专家们讨论海归问题。

第二部分（第二到第五段）指出有的留学生不回国，即使回国也采用留有后路的办法。

第三部分（第六到第八段）指出出国热如今已变为海归热。

第五代中国留学生成为民族振兴新希望

- **“中国机会”使出国热成为海归热**
- **今后 20 年内还将有更大的海归潮。他们会像先辈那样，成为中国各行业的脊梁**

近日，在武汉举行的华侨华人专业人士创业发展洽谈会（简称“华创会”）上，今年首次在华中师范大学召开了“海外人才回归的历史与展望”国际学术研讨会。专家们围绕社会广为关注的海归问题展开讨论，以便为中国政府深入引进海外人才献计献策。

读后问题　专家们围绕海归问题展开讨论的目的是什么？

据了解，从 1872 年清政府官派首批幼童留美算起，中国留学生史迄今有 134 年，经历了留美留欧、留日、留美留欧和留苏等四个阶段。从 1978 年至今，为中国第五代留学生，不仅学科全，而且留学前往的国家也是遍及世界各地，成为中国历史上最大规模的留学潮。

1949 年以前，中国留学生有近 10 万人，绝大部分学成回国，并在各领域发挥重要作用。如钱学森、华罗庚、李四光等一批科学泰斗，成为中国各学科领域的开拓者。而 1978 年至 2004 年，中国留学生数达 81.4824 万人，回国者仅 19 万余人，其他人则成为移民。

厦门大学教授庄国土认为，如今一些中国留学生不回来，主观因素是，现在到国外留学更多是个人行为，或者是自己的选择，是为个人谋生考虑的。而中国现阶段与发达国家相比，收入和社会环境等存在差距则是客观因素。如回国的收入还不如在国外做一般工作收入的 1/5 甚至更低，留学生们自然要掂量一下。

值得注意的是，与以往学成回国致力于国内事业不同，现在的不少“海归”，尤其是在国外有一定地位的人才，回国就职时，多选择兼职或至少保留国外定居身份。这种留有后路的方式，使他们更像人才的国际流动而非回国效力。这为中国国内如何留住人才，发挥“海归”作用提出了新挑战。

读后问题　第五代留学生有哪些特点？

尽管如此，“蹦跃创业”仍是第五代留学生区别于前四次最鲜明的时代特征。如自 2001 年以来，通过连续五届“华创会”牵线搭桥，600 多名海外侨胞专业人士通过“华创会”，仅在湖北省就创办高新技术企业400多家。

加拿大学者王耀辉指出，中国经济近30年高速发展后，尤其是沿海发达地区，已经能够给“海归”提供充裕的物质条件。当国内各方面条件改善后，学成回国就成为留学目的。当今中国，“海归”一词似乎比留学生更热。从出国热到海归热，除了怀念家国的天然情结，其背后有中国综合国力大增所带来的“中国机会”，以及经济全球化给“海归”带来的巨大个人发展空间。

国务院侨办经科司司长谭天星表示，国侨办已把引进海外侨胞突出人才摆在了突出位置，中国各级侨办作为政府专司华侨华人事务的职能部门，以为侨服务为宗旨，为广大华侨华人分享中国发展机遇搭建平台、提供服务。如办好“华创会”就是其中的一个重要举措。有学者预测，对于处在快速发展关键期又需要大批高级人才的中国而言，将在今后20年内掀起巨大的海归潮。他们会像先辈那样，成为中国各行业的脊梁，成为民族振兴的新希望。

读后问题 当前为什么会出现海归热？

（《人民日报 海外版》2006年7月6日，中新社记者 艾启平、刘中兴、闵爱华）

新闻词语、句式

一 新闻词语

1. **华创会** “华侨华人专业人士创业发展洽谈会”的简称。
2. **国侨办** “国务院华侨事务办公室”的简称。
3. **近日** 这几天。
4. **据了解、（某人）认为/指出/表示** 表示信息来源。

二 新闻句式

1. **长定语句**

（1）专家们围绕社会广为关注的海归问题展开讨论，以便为中国政府深入引进海外人才献计献策。

（2）尽管如此，“踊跃创业”仍是第五代留学生区别于前四次最鲜明的时代特征。

（3）从出国热到海归热，除了怀念家国的天然情结，其背后有中国综合国力大增所带来的“中国机会”，以及经济全球化给“海归”带来的巨大个人发展空间。

（4）有学者预测，对于处在快速发展关键期又需要大批高级人才的中国而言，将在今后20年内掀起巨大的海归潮。

2. **并列项句**

（1）从1872年清政府官派首批幼童留美算起，中国留学生史迄今有134年，经历了留美留欧、留日、留美留欧和留苏等四个阶段。

（2）如钱学森、华罗庚、李四光等一批科学泰斗，成为中国各学科领域的开拓者。

3. **同位语句**

（1）厦门大学教授庄国土认为……

（2）加拿大学者王耀辉指出……

（3）国务院侨办经科司司长谭天星表示……

成　语

献计献策	xiàn jì xiàn cè	献出计策。

生　词

1.	振兴	zhènxīng	（动）	使兴盛起来
2.	先辈	xiānbèi	（名）	前辈
3.	脊梁	jǐliang	（名）	比喻在某方面起重要作用的人
4.	创业	chuàngyè	（动）	开创事业
5.	洽谈会	qiàtánhuì	（名）	贸易中举行的会谈
6.	展望	zhǎnwàng	（动）	往将来看
7.	围绕	wéirào	（动）	以某个问题为中心
8.	官派	guānpài	（区）	政府派出的

9. 迄今　qìjīn　（动）　到现在为止
10. 遍及　biànjí　（动）　到达各个地方
11. 泰斗　tàidǒu　（名）　泰山北斗，比喻某方面最高水平的人物
12. 开拓者　kāituòzhě　（名）　最先做某类事情的人
13. 移民　yímín　（名）　从一个地方迁移到另一个地方的人
14. 谋生　móushēng　（动）　谋求生计
15. 差距　chājù　（名）　相差的距离
16. 掂量　diānliang　（动）　反复考虑
17. 致力（于）　zhìlì（yú）　（动）　全力做（某种事情）
18. 就职　jiùzhí　（动）　担任职务
19. 兼职　jiānzhí　（动）　正式职务以外还担任其他工作
20. 定居　dìngjū　（动）　安定下来居住
21. 后路　hòulù　（名）　以后的出路
22. 效力　xiàolì　（动）　效劳
23. 踊跃　yǒngyuè　（形）　形容情绪活跃，争先恐后
24. 鲜明　xiānmíng　（形）　一看就清楚的
25. 牵线　qiānxiàn　（动）　联系
26. 搭桥　dā qiáo　（动）　联系
27. 侨胞　qiáobāo　（名）　从本国到外国居住的人
28. 充裕　chōngyù　（形）　时间多
29. 怀念　huáiniàn　（动）　想念
30. 情结　qíngjié　（名）　深藏在心底的感情
31. 突出　tūchū　（形）　不一般
32. 专司　zhuānsī　（动）　专门负责
33. 职能　zhínéng　（名）　职责
34. 宗旨　zōngzhǐ　（名）　目的
35. 机遇　jīyù　（名）　机会
36. 搭建　dājiàn　（动）　建立
37. 举措　jǔcuò　（名）　措施
38. 掀起　xiānqǐ　（动）　兴起

练　习

一、根据课文内容简单回答下列问题

1. 为什么说不少“海归”像人才的国际流动?
2. 第五代留学生“踊跃创业”的原因可能是什么?
3. 中国各级侨办的职能是什么?
4. “将在今后 20 年内掀起巨大的海归潮”，作出这个预言的依据可能是什么?

二、解释画线词语，理解下列句子的意思

1. 如钱学森、华罗庚、李四光等一批科学泰斗，成为中国各学科领域的开拓者。

   泰斗：

2. 如回国的收入还不如在国外做一般工作收入的 1/5 甚至更低，留学生们自然要掂量一下。

   掂量：

3. 如自 2001 年以来，通过连续五届“华创会”牵线搭桥，600 多名海外侨胞专业人士通过“华创会”，仅在湖北省就创办高新技术企业 400 多家。

   牵线搭桥：

4. 他们会像先辈那样，成为中国各行业的脊梁，成为民族振兴的新希望。

   脊梁：

三、照例子写出更多的词语

1. 举行会议	举行________	举行________	举行________
2. 引进人才	引进________	引进________	引进________
3. 成为开拓者	成为________	成为________	成为________
4. 提出新挑战	提出________	提出________	提出________

四、选择合适的词语填进括号内

保留　　发挥　　改善　　成为　　掂量

1. 绝大部分学成回国，并在各领域（　　）重要作用。
2. 如回国的收入还不如在国外做一般工作收入的 1/5 甚至更低，留学生们自

然要（　　）一下。

3. 回国就职时，多选择兼职或至少（　　）国外定居身份。

4. 当国内各方面条件（　　）后，学成回国就（　　）留学目的。

五、用所给词语组成完整的句子

1. A. 需要　B. 高级　C. 中国　D. 大量　E. 人才

句子＿＿＿＿＿＿＿＿＿＿

2. A. 前往的国家　B. 遍及　C. 各地　D. 世界　E. 留学

句子＿＿＿＿＿＿＿＿＿＿

3. A. 领域　B. 他们　C. 重要作用　D. 发挥了　E. 各　F. 在

句子＿＿＿＿＿＿＿＿＿＿

4. A. 关键期　B. 中国　C. 发展　D. 处在　E. 快速　F. 正

句子＿＿＿＿＿＿＿＿＿＿

5. A. 中国各行业　B. 成为　C. 脊梁　D. 他们　E. 会　F. 的

句子＿＿＿＿＿＿＿＿＿＿

6. A. 海归　B. 讨论　C. 专家们　D. 展开　E. 围绕　F. 问题

句子＿＿＿＿＿＿＿＿＿＿

7. A. 留学　B. 到国外　C. 更多　D. 个人行为　E. 是　F. 现在

句子＿＿＿＿＿＿＿＿＿＿

8. A. 给“海归”　B. 个人发展空间　C. 巨大的　D. 全球化
E. 带来了　F. 经济

句子＿＿＿＿＿＿＿＿＿＿

9. A. 给“海归”　B. 沿海发达地区　C. 物质条件　D. 已经
E. 充裕的　F. 提供　G. 能够

句子＿＿＿＿＿＿＿＿＿＿

10. A. 引进　B. 国侨办　C. 海外侨胞突出人才　D. 突出位置

E. 摆在了　　F. 已　　G. 把

句子 ____________________

六、请用所给的句子组成一段话，并标出标点符号

1. 句子

A. 当今中国，“海归”一词似乎比留学生更热

B. 当国内各方面条件改善后，学成回国就成为留学目的

C. 以及经济全球化给“海归”带来的巨大个人发展空间

D. 中国经济近 30 年高速发展后，尤其是沿海发达地区，已经能够给“海归”提供充裕的物质条件

E. 从出国热到海归热，除了怀念家国的天然情结，其背后有中国综合国力大增所带来的“中国机会”

语段 ____________________

____

2. 句子

A. 70 万名青年漂洋过海

B. 20 世纪 80 年代开始，中国掀起了长达十几年的出国热

C. 目前中国归国留学生成分正在发生变化

D. 世界上 100 多个国家有了中国留学生的身影

E. 掀起了中国经济乃至整个社会国际化的浪潮

F. 20 年后，这些留学生纷纷回国

语段 ____________________

____

3. 句子

A. 而未来，随着中国企业的国际化和中国企业走出去，大量的留学人员会更多到本土企业

B. 因为很多“海归”掌握国际文化

C. 这是“海归”未来发展的一个方向

D. 目前大量的留学人员回国以后都被外国公司聘用了

E. 容易和外企文化融合

语段 ____

____

课文二

读前准备

选择对下列句子中画线词语的恰当解释

1. 他教过英语，也曾在杂志社任职，后来又投奔了一家高科技公司，穿梭（suō）于北京和美国硅谷之间。

   投奔：A. 依靠　　B. 赶到某地方去工作

   穿梭：A. 织布的梭子来回活动　　B. 形容来往频繁

2. 在如今的中国，似乎到处都是为了寻找良机而不断跳槽的外国人。

   跳槽：A. 从一个槽跳到另一个槽　　B. 从一个单位跳到另一个单位

3. 不少“漂流族”利用闲暇（xiá）时间学习中文。

   闲暇：A. 空闲　　B. 工作

4. 原本“海归”和“洋漂族”处于错位竞争，但目前不少“洋漂族”对于收入要求并不太高。

   错位：A. 互相让开，避免冲突　　B. 离开原来的位置

5. 由于不少“海归”在出国之前成绩并不出色，使得用人单位对“海归”的成色一般都有些担心。

   出色：A. 特别好　　B. 特别不好

   成色：A. 所含的数量　　B. 所含的质量

6. 相比之下，“洋漂族”务实的工作态度往往更为企业管理者所青睐（lài）。

   青睐：A. 喜爱或重视　　B. 白眼或讨厌

7. 随着上海“海归”人员的增加，“洋打工”的日子将越来越不好过，毕竟中国人比外国人更了解国内的文化和生活习惯，而且“海归”中也不乏精英，完全可以与“老外”一争高下。

   不乏精英：A. 不缺乏优秀人才　　B. 缺乏优秀人才

自降身价与"海归"争饭碗

"洋漂族"活跃在中国

(一)

读前问题　中国对外国人在华长期居住的政策有什么变化？为什么现在来华寻找良机的外国人越来越多？

杰里米·古德卡隆在北京已经游荡了6年，工作换了一个又一个。他教过英语，也曾在杂志社任职，后来又投奔了一家高科技公司，穿梭于北京和美国硅谷之间。2001年，杰里米再次来到北京，加入了一家中英双语杂志社，但不到一年就辞了职。"主要是因为我想做自己的事，"他解释说，"如果你想尝试不同类型的工作，那么中国是个理想的地方。"

在如今的中国，似乎到处都是为了寻找良机而不断跳槽的外国人。这些人抓住了中国目前在媒体、金融、贸易等领域相对缺乏人才的机会，同时，一些外企也因为费用高昂而停止往中国派遣人员，盯上了已决心定居中国的外国人——这些人估计有30万之多。10年前来到北京的音乐人凯瑟说："中国的市场年均增长10%，无论你想做什么，这儿有的是机会。"

直到上世纪90年代末，中国还不允许除外交、留学等领域之外的外国人在华长期居住。但过去5年，北京为了吸引外资和外国技工放松了限制，留居中国的外国人迅速增加了5倍。据中国有关部门统计，最多的是美国人，估计有11万，他们中约有一半在北京和上海，其余则散居在中国各地。

(二)

读前问题　"漂流族"中的外国人常常从事哪些工作？

全球性人力资源咨询公司华信惠悦北京分公司总经理吉姆·莱林格说，在中国的西方"漂流族"中，懂普通话同时又有某种专业技能的人最容易找到工作，他们可以应聘那些注重创新的金融、媒体和咨询等行业的职位，因为这些领域都是中国教育体系的弱项。

通常这些西方"漂流族"在中国的第一份工作有：媒体和公关公司的职员或给地方杂志自由投稿，还有的去辅导中国摇滚乐队赚钱。不少"漂流族"利用闲暇时间学习中文，同时在学校里教英语，运气好的还能进知名大学，这些人有的月薪达到四五千元，但其中更多的是到私立学校靠自己的"洋面孔"而不是授课能力挣钱。一些人为一些双语杂志自由投稿，这种工作并不很辛苦，如果为一家旅游杂志供稿的话，还能根据自己的兴趣到处走走看看，一般这些人的月收入可以达到七八千元人民币。

（三）

读前问题　“洋漂族”和“海归”之间的竞争情况怎么样？

来中国的西方“漂流族”越来越多，一些外企也确实更欢迎他们。但随着中国“海归”增加，“洋漂族”的好日子可能不会长久。中国的“海归”外语流利，拥有技术，薪金要求也不高，完全可以取代那些以前由这些人占据的职位。但是如今，中国还是“洋漂族”的理想之地。

目前来沪工作的留学人员达5.4万人，90%以上获得了博士或硕士学位，70%来自欧美国家。

上海智联招聘专家王先生说，原本“海归”和“洋漂族”处于错位竞争，但目前不少“洋漂族”对于收入要求并不太高，有的自降身价，4000元到5000元也可接受，他们既懂中文又有某种专业技能，这和学成归来的“海归派”形成了竞争。

由于不少“海归”在出国之前成绩并不出色，使得用人单位对“海归”的成色一般都有些担心，有的甚至“倒查三代”，看看其出国前的情况如何。相比之下，“洋漂族”务实的工作态度往往更为企业管理者所青睐。

王先生也表示，随着上海“海归”人员的增加，“洋打工”的日子将越来越不好过，毕竟中国人比外国人更了解国内的文化和生活习惯，而且许多“海归”拥有广泛的社会关系，具有“老外”无法相比的优势。“海归”中的精英们甚至可以成为社会的栋梁。

（《人民日报　海外版》2006年6月22日，作者　钟和，有删改）

读后分析讨论

一、给本课文三个部分各选择一个合适的小标题

（一）　　A. 谋生手段大致相似

（二）　　B. 与“海归”争抢饭碗

（三）　　C. 频繁跳槽寻找良机

二、根据课文判断正误

1. 在华工作的外国人不断跳槽的原因是为了寻找良机。（　）
2. 一些外企停止往中国派遣人员是因为这里有很多本国的员工。（　）
3. 目前外国人都可以在中国长期居住。（　）

4. 有某项专业技能的外国人最容易找到工作。　（　　）

5. “漂流族”靠自己的授课能力赚钱。　（　　）

6. 原来的“洋漂族”对工资要求比较高。　（　　）

三、找出课文中三个以上长定语句

____

____

四、问一问你的同桌或同伴，有没有在中国发展的打算，打算怎么发展

____

____

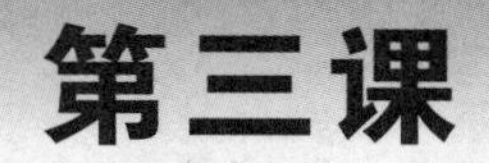

第三课

64项新职业带来新的思路

（职业—新职业 · 深度报道）

（形象设计师）

课文一

【教与学的提示】

话题背景

据统计，中国旧职业已消失3000个，铅字排版员、补锅匠、抄写工等“传统职业”逐步退出历史舞台，而另一方面，新潮职业不断产生，而且市场需求在不断增长。

体　裁

本文的体裁是深度报道的解释性报道。

语篇分析

课文分两大部分。

第一部分为引子，概括说明公布新职业这件事情。

第二部分为主体，分四个小标题。

第一个小标题：新职业具有庞大市场需求。

第二个小标题：“灰领”异军突起受青睐。

第三个小标题：新职业更呵护百姓休闲生活。

第四个小标题：新职业顺应产业结构调整。

64项新职业带来新的思路

今年4月29日，劳动保障部正式向外公布了包括调香师、咖啡师、安全防范设计评估师、体育经纪人等在内的14项新职业。这是自2004年8月劳动保障部确定新职业定期发布制度以来公布的第六批新职业名单。迄今已有64项新职业得到认定。一份职业，一份人生，一道风景线。这64项新兴职业的认定，无疑为当前竞争激烈的就业市场注入了一股新鲜的活力，也折射出当代中国动感十足、五彩斑斓的社会变迁。

读后问题　64项新兴职业的认定有什么意义？

新职业具有庞大市场需求

三百六十行，行行出状元。随着经济的发展，社会分工的日趋精细，职业的概念已远远超出了“三百六十行”，一些新兴行业正随着人们新的实际需要而悄然诞生，并日渐得到社会的认可。短短一年多时间内，仅劳动保障部就认定了64项新职业，而据上海市劳动部门的统计，上海市在2004年一年间就诞生了65个新职业。新职业认定公布前，经历了有关部门的市场认证过程，它们往往具有庞大的市场需求和良好的就业前景。以往公布的如茶艺师这类的职业，目前在一些大城市仍然存在短缺问题，在某些城市，有时往往1500元的月薪也无法聘到一位优秀的茶艺师。新公布名单中的体育经纪人一职，据专家估计，在未来10年内至少有7000个岗位需求。只代理一个运动员，体育经纪人的收入也相当可观。目前在京、沪两地，咖啡师缺口也相当大。

读后问题　新职业是根据什么来认定的？

“灰领”异军突起受青睐

从数控机床装调维修工、调查分析师这些新职业的名称及职业定义中，我们已不难感觉到，“灰领”概念已悄然进入我们的生活。时下，“灰领”指的就是既能动脑又能动手的复合型技能人才，通常是在制造企业生产一线从事高技能操作、设计或生产管理，以及在服务业提供创造性服务的专门技能人员。动画绘制员、汽车模型工、汽车加气站操作工、包装设计师、数字视频（DV）策划制作师等，都是现代制造业新兴的“灰领”人才。

读后问题　什么叫“灰领”？

新职业更呵护百姓休闲生活

当前越来越多的老百姓开始关注自己的生活质量，并有意识地加以提高。

在公布的64项新职业中，与百姓休闲生活息息相关的职业占了近1/3。这样的新职业被赋予了更多的人文关怀而愈显得人性化，百姓的生活也因此被更加细致地“呵护”了。当自我形象越来越被百姓所重视，当服饰色彩搭配成为人们在日常生活中出席特定场合时尤其重视的事项时，形象设计师便逐渐走俏。普通百姓每次花费一二百元便可作一些服饰色彩、款式方面的咨询和设计，花费千八百元可作一次整体的形象设计。当人们在工作之余，养生保健意识不断提高的情况下，私人医生——健康管理师又成了一项深受欢迎的职业。健康管理师对顾客健康状况的长期的跟踪与检测，使百姓们可以更加了解自己的身体，避免医院误诊等一系列问题。

读后问题 形象设计师和健康管理师是做什么事情的？

新职业顺应产业结构调整

调研显示，我国职业结构的变化与发达国家职业结构的变化规律是一致的，同时也说明我国职业研发工作基本与产业结构调整的步伐保持一致。

发布新职业从很大程度上对目前人才市场仍然存在的就业盲目性起到了一定的调控与引导作用，并将有效地促使人才流动逐渐有序。劳动保障部就业培训技术指导中心主任陈宇向媒体表示，新职业发布后，劳动保障部将对其中部分职业制定职业标准，全面反映工作现场对从业人员知识和实际职业能力的要求，这有利于引导职业教育培训，有利于避免未来由于某些职业人才的匮乏而形成经济发展的瓶颈。农业技术指导员、小风电利用工、肥料配制师等新职业的确立，有利于更好地服务广大农民，提高我国农产品的产量和质量，解决边远地区农牧民用电难等问题。

读后问题 发布新职业有什么作用？

（新华网 www.xinhuanet.com 湖北频道 2006年6月26日）

新闻词语、惯用格式和句式

一 新闻词语、惯用格式

1. **据专家估计、调研显示、(某人) 表示** 显示信息来源。
2. **时下** 当前、目前。
3. **京** “北京市”的简称。
4. **沪** “上海市”的简称。
5. **国人** 中国人。

二 新闻句式

1. 长定语句

（1）这是自 2004 年 8 月劳动保障部确定新职业定期发布制度以来公布的第六批新职业名单。

（2）这 64 项新兴职业的认定，无疑为当前竞争激烈的就业市场注入了一股新鲜的活力，也折射出当代中国动感十足、五彩斑斓的社会变迁。

（3）“灰领”指的就是既能动脑又能动手的复合型技能人才，通常是在制造企业生产一线从事高技能操作、设计或生产管理以及在服务业提供创造性服务的专门技能人员。

（4）在公布的 64 项新职业中，与百姓休闲生活息息相关的职业占了近 1/3。

（5）当自我形象越来越被百姓所重视，当服饰色彩搭配成为人们在日常生活中出席特定场合时尤其重视的事项时，形象设计师便逐渐走俏。

（6）当人们在工作之余，养生保健意识不断提高的情况下，私人医生——健康管理师又成了一项深受欢迎的职业。

（7）新职业的茁壮成长从很大程度上对目前人才市场仍然存在的就业盲目性起到了一定的调控与引导作用。

（8）新职业发布后，劳动保障部将对其中部分职业制定职业标准，全面反映工作现场对从业人员知识和实际职业能力的要求，这有利于引导职业教育培训，有利于避免未来由于某些职业人才的匮乏而形成经济发展的瓶颈。

2. 并列项句

（1）今年 4 月 29 日，劳动保障部正式向外公布了包括调香师、咖啡师、安全防范设计评估师、体育经纪人等在内的 14 项新职业。

（2）动画绘制员、汽车模型工、汽车加气站操作工、包装设计师、数字视频（DV）策划制作师等，都是现代制造业新兴的“灰领”人才。

（3）农业技术指导员、小风电利用工、肥料配制师等新职业的确立，有利于更好地服务广大农民。

3. 同位语句

劳动保障部就业培训技术指导中心主任陈宇向媒体表示……

熟 语

1. 五彩斑斓 wǔ cǎi bānlán 多姿多彩。
2. 异军突起 yì jūn tū qǐ 新的力量突然出现。
3. 息息相关 xīxī xiāngguān 关系密切。
4. 三百六十行，行行出状元 sānbǎiliùshí háng，hángháng chū zhuàngyuán 各个行业都可以干出成绩来。

生 词

1. 正式	zhèngshì	（形）	合乎一定手续的
2. 公布	gōngbù	（动）	公开发布
3. 认定	rèndìng	（动）	确定
4. 新兴	xīnxīng	（区）	最近兴起的
5. 无疑	wúyí	（动）	表示没有疑问
6. 注入	zhùrù	（动）	倒进去；添加
7. 活力	huólì	（名）	生命力
8. 折射	zhéshè	（动）	反映出
9. 动感	dònggǎn	（名）	运动的感觉
10. 十足	shízú	（形）	十分充足
11. 变迁	biànqiān	（名）	情况的变化
12. 庞大	pángdà	（形）	非常大
13. 日趋	rìqū	（副）	一天一天地走向
14. 精细	jīngxì	（形）	精密细致
15. 悄然	qiǎorán	（副）	不声不响地
16. 日渐	rìjiàn	（副）	一天一天慢慢地
17. 认可	rènkě	（动）	承认
18. 短缺	duǎnquē	（动）	缺少
19. 代理	dàilǐ	（动）	替别人做
20. 可观	kěguān	（形）	数量大
21. 缺口	quēkǒu	（名）	缺少的部分

22. 复合型	fùhéxíng	（区）	同时具有多种技能的
23. 通常	tōngcháng	（副）	一般
24. 一线	yīxiàn	（名）	指直接从事生产等的岗位
25. 操作	cāozuò	（动）	按照一定的程序进行活动
26. 呵护	hēhù	（动）	细心地爱护
27. 赋予	fùyǔ	（动）	给予
28. 愈	yù	（副）	越来越
29. 显得	xiǎnde	（动）	表现出来
30. 人性化	rénxìnghuà	（形）	符合人性要求的
31. 细致	xìzhì	（形）	仔细周密
32. 服饰	fúshì	（名）	衣服和饰品
33. 搭配	dāpèi	（动）	按一定要求安排分配
34. 事项	shìxiàng	（名）	事情的项目
35. 走俏	zǒuqiào	（形）	受欢迎
36. 咨询	zīxún	（动）	征求意见
37. 余	yú	（名）	剩下的时间
38. 养生	yǎngshēng	（动）	保养身体
39. 保健	bǎojiàn	（区）	保护健康
40. 跟踪	gēnzōng	（动）	跟在后面（对情况进行了解）
41. 检测	jiǎncè	（动）	检查测定
42. 避免	bìmiǎn	（动）	使不出现
43. 误诊	wùzhěn	（动）	错误地诊断
44. 顺应	shùnyìng	（动）	顺从适应
45. 产业	chǎnyè	（名）	工业、农业等
46. 调整	tiáozhěng	（动）	改变，使适应
47. 调研	diàoyán	（动）	调查研究
48. 步伐	bùfá	（名）	步子
49. 盲目性	mángmùxìng	（名）	没有目标的状况
50. 调控	tiáokòng	（动）	调节控制
51. 引导	yǐndǎo	（动）	使人向某个方向行动

52. 促使	cùshǐ	（动）	使达到某个目的
53. 有序	yǒuxù	（形）	有秩序
54. 从业	cóngyè	（动）	从事某种职业
55. 匮乏	kuìfá	（形）	缺乏
56. 瓶颈	píngjǐng	（名）	比喻不顺利的地方
57. 确立	quèlì	（动）	建立或树立
58. 牧民	mùmín	（名）	牧区中以养羊、牛等为生的人

练 习

一、根据课文内容简单回答下列问题

1. 2004 年 8 月，劳动保障部对于新职业采取了一个什么制度？
2. “一份职业，一份人生，一道风景线”是什么意思？
3. 新职业产生的条件是什么？
4. 新职业认定公布前，有关部门要做什么？
5. 为什么与休闲相关的新职业比较多？
6. 制定职业标准能起到什么作用？

二、解释画线词语，理解下列句子的意思

1. 这 64 项新兴职业的认定，无疑为当前竞争激烈的就业市场注入了一股新鲜的活力，也折射出当代中国动感十足、五彩斑斓的社会变迁。

   注入： 折射：

2. 目前在京、沪两地，咖啡师缺口也相当大。

   缺口：

3. 这样的新职业被赋予了更多的人文关怀而愈显得人性化，百姓的生活也因此被更加细致地“呵护”了。

   人文关怀： 呵护：

4. 当服饰色彩搭配成为人们在日常生活中出席特定场合时尤其重视的事项时，形象设计师便逐渐走俏。

走俏：

5. 调研显示，我国职业结构的变化与发达国家职业结构的变化规律是一致的，同时也说明我国职业研发工作基本与产业结构调整的步伐保持一致。

   步伐：

6. 发布新职业从很大程度上对目前人才市场仍然存在的就业盲目性起到了一定的调控与引导作用。

   盲目性：

7. 这有利于引导职业教育培训，有利于避免未来由于某些职业人才的匮乏而形成经济发展的瓶颈。

   瓶颈：

三、课文中出现的新职业有哪些？请找出来，并了解一下这些职业

____

____

四、问一下你的同桌，请他（她）说一种印象深刻却已经消失的职业

____

____

五、照例子写出更多的词语

1. 认定新职业　认定________　认定________　认定________
2. 公布新职业　公布________　公布________　公布________
3. 代理运动员　代理________　代理________　代理________
4. 制定标准　制定________　制定________　制定________

六、选择合适的词语填进括号内

诞生　提高　避免　认可　精细　跟踪

1. 随着经济的发展，社会分工的日趋（　　），职业的概念已远远超出了“三百六十行”，一些新兴行业正随着人们新的实际需要而悄然（　　），并日渐得到社会的（　　）。
2. 当人们在工作之余，养生保健意识不断（　　）的情况下，私人医生——

健康管理师又成了一项深受欢迎的职业。健康管理师对顾客健康状况的长期的（　　）与检测，使百姓们可以更加了解自己的身体，（　　）医院误诊等一系列问题。

七、用所给词语组成完整的句子

1. A. 65个新职业　B. 上海市　C. 诞生了　D. 一年间
   E. 在2004年　F. 就

句子 ______________________

2. A. 市场需求　B. 具有　C. 往往　D. 的　E. 新职业
   F. 庞大

句子 ______________________

3. A. 良好　B. 新职业　C. 的　D. 就业前景　E. 具有
   F. 往往

句子 ______________________

4. A. 经纪人　B. 可观　C. 收入　D. 体育　E. 相当　F. 的

句子 ______________________

5. A. 一项　B. 职业　C. 成了　D. 健康管理师　E. 深受欢迎
   F. 的

句子 ______________________

6. A. 新职业　B. 职业标准　C. 对　D. 劳动保障部　E. 制定
   F. 将

句子 ______________________

7. A. 概念　B. 生活　C. "灰领"　D. 悄然　E. 进入
   F. 我们　G. 的

句子 ______________________

8. A. 64项　B. 已　C. 认定　D. 得到　E. 新职业　F. 迄今
   G. 有

句子 ______

9. A. 产业结构调整 B. 我国职业研发工作 C. 保持一致 D. 步伐
E. 的 F. 与 G. 基本

句子 ______

10. A. 发达国家职业结构 B. 变化规律 C. 我国职业结构 D. 一致
E. 与 F. 的 G. 是

句子 ______

八、请用所给的句子组成一段话，并标出标点符号

1. 句子

A. 百姓的生活也因此被更加细致地“呵护”了
B. 越来越多的老百姓开始关注自己的生活质量
C. 在公布的64项新职业中，与百姓休闲生活息息相关的职业占了近1/3
D. 当前国人普遍已解决温饱
E. 并有意识地加以提高
F. 这样的新职业被赋予了更多的人文关怀而愈显得人性化

语段 ______

______

2. 句子

A. 一年的服务费要600元
B. 便迅速离开了人们的视线
C. BP机，曾经是一种重要通讯工具
D. 然而，这个新兴的行业仅仅火爆了十几年
E. 一台汉字显示的寻呼机要4000多元

语段 ______

______

3. 句子

A. 来天安门的游客往往都要请摄影师给自己拍照

B. 现在这项服务已基本绝迹

C. 但随着私人拥有相机和数码相机的数量越来越多，从10年前开始，景区摄影服务整个行业就出现了滑坡的趋势

D. 上世纪是景区摄影师行业最风光的时候

语段 ____________________

____

课文二

读前准备

选择对下列句子中画线词语的恰当解释

1. 记者在常州南大街约见曼莉形象设计室顾问廖晓玲，刚陪客人采购完职业装的她同样身着（zhuó）浅蓝套装，巧笑嫣（yān）然，温文尔雅。

约见：	A. 约好时间见面	B. 没约好时间见面
身着：	A. 身上没穿	B. 身上穿着
巧笑嫣然：	A. 笑得很自然	B. 笑得不自然
温文尔雅：	A. 举止粗鲁	B. 举止文雅

2. 有个开奔驰的男顾客，衣服都是日本银座、香港买的一线品牌，但清一色黑。经色彩顾问打造，他尝试了橙色等亮色、花纹色和休闲装，整个人焕然一新。

一线：	A. 最好的	B. 最差的
清一色：	A. 一部分是	B. 全部都是
打造：	A. 建造	B. 设计
焕（huàn）然一新：	A. 给人以新的感觉	B. 给人以陈旧的感觉

3. 但到目前为止，国家尚未启动形象设计师国家认证，从业人员鱼龙混杂。

启动：	A. 开始	B. 结束
从业：	A. 不工作	B. 从事某行业
鱼龙混杂：	A. 好坏混杂在一起	B. 把鱼和龙分开

4. 据业内人士介绍，形象顾问必须有系统扎实的理论基础和审美天分（fèn），涉猎发型、化妆、色彩、风格定位、体形分析、服装剪裁等专业领域，个人文化

素质、品位也很重要。

扎实：	A. 基础好	B. 基础不好
天分：	A. 生下来就有的能力	B. 学习以后才有的能力
涉猎：	A. 设计	B. 涉及

5. 目前常州从事形象设计的有的是真材实料，经色研机构系统培训，有的还到日本取经，有的则是美容院、健身会所的“变身”，一些顾问只经简单培训，凭着个人理解就开门纳客，这样不物有所值的服务只会令整个行业形象打折扣。

真材实料：	A. 虚假的	B. 不是虚假的
色研机构：	A. 色彩研究机构	B. 彩色研究机构
取经：	A. 学习	B. 工作
变身：	A. 使身体发生变化	B. 变化身份
纳客：	A. 营业	B. 不营业
物有所值：	A. 花了很多钱但没有得到相应的服务 B. 花一定的钱而得到相当价值的服务	
打折扣：	A. 便宜	B. 受到不好的影响

贴身服务时尚人士

私人形象顾问走俏常州

似乎以往只是第一夫人、明星才拥有的私人形象顾问开始走近常州市民生活。从个人色彩诊断到上门整理衣橱、陪同指导购物，形象顾问为都市人解决美感困惑（huò）。

陪同购物每小时百元，套餐[①]服务开价数千

读前问题 形象设计师提供哪些服务？

8月15日下午，记者在常州南大街约见曼莉形象设计室顾问廖晓玲，刚陪客人采购完职业装的她同样身着浅蓝套装，巧笑嫣然，温文尔雅。她告诉记者，形象设计师的工作是进行着装色彩测试、色彩搭配、个人风格测试及款式定位、个人化妆特点指导及化妆技法、衣橱管理、重大场合搭配指导等。

廖晓玲说，个人形象分为少年型、

古典型、浪漫型等八大款型，不同场合呈现不同色彩。比方说，我现在接受采访，适合夏季型色彩，灰色加粉色体现理性柔美；给顾客诊断，适合秋季型，灰色和蓝色体现专业性；陪同购物时是玫瑰色的，让顾客感觉我们是密友。

记者看到，形象顾问用色布搭配来确定顾客色系，提交 20 多页的诊断手册，包括衣服款式、质地、图案、鞋、包、首饰、发型等，并给出不同场合、时令的最佳搭配。

记者了解到，常州私人形象顾问有的采用会员制，交纳 7000 元乃至万元不等的会费，有的推出 3000 元、5000 元不等的项目套餐，也有 200 元左右的陪同购物、做发型等单项服务。

大公司成集团客户，市场“钱”景[②]看好

读前问题 哪些人会成为形象设计师的客户？

职场人士的“形象危机”给私人形象顾问提供了舞台，而拥有私密生活空间，独享专项服务，也成为高品质生活象征。一家形象咨询公司老板透露，她已有六七百个客户，没有一例退单，还有不少外地客户，银行、贸易公司、外企、商场也成为集团客户，为窗口接待、业务员定制职业色彩，为员工举办形象设计讲座。

常州印象女人国际机构美学顾问王梓峰说，客户群分布很广，有 20—25 岁的年轻人群，有求职大学生、业务员、外企白领等，30—40 岁的居多，有私企老总、女性官员等。年轻人太主观，喜欢就穿，打折就买，年纪大一点的不敢穿，基本都是灰、黑、蓝。

廖晓玲说，有个开奔驰的男顾客，衣服都是日本银座、香港买的一线品牌，但清一色黑。经色彩顾问打造，他尝试了橙色等亮色、花纹色和休闲装，整个人焕然一新。顾问把他的衣橱重新分类、搭配，还把搭配衣服拍成照片，出席签约、酒会等不同场合，照着样子打扮，出国购物时顾问也会给出清单。

从业者良莠不齐[③]

读前问题 成为形象设计师需要哪些条件？

在劳动部首批发布的新职业中，形象设计师是头一个。但到目前为止，国家尚未启动形象设计师国家认证，从业人员鱼龙混杂。记者在南大街就发现了大大小小的形象工作室，有的店面简陋，一看就是将美容、修指甲之类行当“改装”而成的。

据业内人士介绍，形象顾问必须有系统扎实的理论基础和审美天分，涉猎发型、化妆、色彩、风格定位、体形分析、服装剪裁等专业领域，个人文化素质、品位也很重要。目前常州从事形象设计的有的是真材实料，经色研机构系统培训，有的还到日本取经，有的则是美容院、健身会所的“变身”，一些顾问

只经简单培训，凭着个人理解就开门纳客，这样不物有所值的服务只会令整个行业形象打折扣。

（《新华日报》2006年8月17日，记者　蔡炜）

【注释】

① **套餐**　这里指一整套的服务。

② **“钱”景**　与“前景”发音相同，表示赚钱的前景。

③ **良莠(yǒu)不齐**　这里指水平不一致。

读后分析讨论

一、根据课文判断正误

1. 私人形象顾问以往不存在。　（　）
2. 每种款型在不同场合呈现不同色彩。　（　）
3. 形象顾问用色布搭配来确定顾客色系。　（　）
4. 私人形象顾问都采用会员制。　（　）
5. 银行、贸易公司、外企、商场是形象设计师的集团客户。　（　）
6. 在客户中30—40岁的人比较少。　（　）
7. 那个开奔驰的男顾客以前就很注意个人形象。　（　）
8. 国家已经公布并已启动形象设计师国家认证。　（　）

二、找出课文中三个以上并列项句

____

____

三、请你做一回形象设计师，给你的同桌设计一下形象

____

____

单元复习一

一 判断所给词语放在句中哪个位置上最恰当

1. 我 A 感觉得出她心里 B 不太愿意 C 让我 D 给她打针。（　）

并

2. A 现代护理工作需要 B 病人全方位的 C 护理与 D 关怀。（　）

给

3. 在同等条件下，他们 A 会优先 B 考虑 C 招男性，D 弥补长期以来学校师资队伍男女比例的严重失调。（　）

以

4. 专家们 A 社会广为关注的"海归"问题 B 展开讨论，以便 C 为中国政府深入 D 引进海外人才献计献策。（　）

围绕

5. 当国内各方面条件 A 改善后，B 学成回国 C 成为 D 留学目的。（　）

就

6. 在中国的西方"漂流族"中，懂 A 普通话 B 又有某种专业技能的人 C 最容易 D 找到工作。（　）

同时

7. 当前国人普遍已 A 解决温饱，越来越多的老百姓 B 开始关注自己的生活质量，并有 C 意识地 D 提高。（　）

加以

8. A 以往公布的如茶艺师这类的职业，B 目前在一些大城市 C 存在短缺问题 D。（　）

仍然

9. 中国政府 A 逐渐修改作息制度，B 大众 C 享受休闲生活 D 提供方便。（　）

为

10. 宠物服装设计师玲玲看 A 到朋友家的小狗衣服很漂亮，于是细心的她开始 B 模仿 C 做 D 一件。（　）

了

二 选择恰当的词语填空

1. 很多患者上手术台后都会特别紧张，所以帮患者克服恐惧、放松心情（　　）是我们的工作。

   A. 再　　B. 且　　C. 并　　D. 也

2. 从上午八点一直站到晚上七点，我一个人要同时配合四名医生，这么长的时间，（　　）是女护士，体力上可能很难支撑得住。

   A. 虽然　　B. 不但　　C. 如果　　D. 哪怕

3. 学生们普遍反映，男老师（　　）会为大家安排更多课外活动，（　　）会和学生一起参与其中。

   A. 不是……就是……　　B. 不仅……而且……

   C. 因为……所以……　　D. 即使……也……

4. 有学者预测，（　　）处在快速发展关键期又需要大批高级人才的中国而言，将在今后20年内掀起巨大的海归潮。

   A. 关于　　B. 对于　　C. 由于　　D. 至于

5. 中国经济近30年高速发展后，（　　）是沿海发达地区，已经能够给“海归”提供充裕的物质条件。

   A. 尤其　　B. 十足　　C. 非常　　D. 格外

6. 中国的市场年均增长10%，（　　）你想做什么，这儿有的是机会。

   A. 不但　　B. 尽管　　C. 无论　　D. 就是

7. 中国的“海归”外语流利，拥有技术，薪金要求也不高，完全可以取代那些以前（　　）这些人占据的职位。

   A. 通过　　B. 由此　　C. 由于　　D. 由

8. 新公布名单中的体育经纪人一职，据专家估计，在未来10年内（　　）有7000个岗位需求。

   A. 至少　　B. 至于　　C. 分别　　D. 到底

9. 普通百姓每次花费一二百元便可做一些服饰色彩、款式方面的咨询和设计，花费千八百元可做一（　　）整体的形象设计。

   A. 块　　B. 遍　　C. 次　　D. 位

10. 长期以来，劳动、生产和赚钱，是中国人的主要生活方式，休闲时间、休闲方式和休闲质量（　　）处于落后状态。

A. 一切　　B. 一直　　C. 一边　　D. 一面

三 选择与画线词语意思最接近的解释

1. 这么长的时间，如果是女护士，体力上可能很难支撑得住。

A. 支援　　B. 用力支持　　C. 帮助　　D. 达到

2. 在孩子的心目中，男教师虽然严厉，但不"管头管脚"。

A. 严肃厉害　　B. 严密　　C. 严峻　　D. 严重

3. 我儿子上小学的时候，写作文像"挤牙膏"，刚写几行就开始数字数，为没内容可写而苦恼。

A. 比喻写得又慢又少　　B. 比喻写得又快又好

C. 比喻写得又好又多　　D. 比喻写得很出色

4. 中国各级侨办作为政府专司华侨华人事务的职能部门，以为侨服务为宗旨，为广大华侨华人分享中国发展机遇搭建平台、提供服务。

A. 眼光　　B. 眼前　　C. 目前　　D. 目的

5. 一些外企也因为费用高昂而停止往中国派遣人员，盯上了已决心定居中国的外国人——这些人估计有 30 万之多。

A. 迷上　　B. 看上　　C. 赶上　　D. 钉上

6. 过去 5 年，北京为了吸引外资和外国技工放松了限制。留居中国的外国人迅速增加了 5 倍。

A. 比较快　　B. 比较慢　　C. 很慢　　D. 很快

7. 在公布的 64 项新职业中，与百姓休闲生活息息相关的职业占了近 1/3。

A. 联系密切　　B. 联系不太密切　　C. 没有联系　　D. 联系不多

8. 健康管理师对顾客健康状况的长期的跟踪与检测，使百姓们可以更加了解自己的身体，避免医院误诊等一系列问题。

A. 考试　　B. 实验　　C. 检查测定　　D. 试验

9. 随着中国经济驶上快车道，人们的休闲时间和休闲方式也日益增多，休闲社会正朝中国人走来，许多跟休闲有关的职业应运而生。

A. 一天比一天　　B. 一个月比一个月

C. 一年比一年　　D. 一代比一代

10. 相比之下，"洋漂族"务实的工作态度往往更为企业管理者所青睐。

A. 不喜欢　　B. 不关心　　C. 喜爱　　D. 讨厌

四 快速阅读各段文字，根据内容选择问题唯一恰当的答案

1. 他们五个人中虽然有两人都已经是本科学历了，但他们今后都有继续进修的打算，希望能不断充实自己，在这个岗位上干出个样儿来。

   这段文字说明“他们”的生活态度怎么样？

   A. 很积极　　B. 很消极　　C. 无所谓　　D. 不太积极

2. 与以往学成回国致力于国内事业不同，现在的不少“海归”，尤其是在国外有一定地位的人才，回国就职时，多选择兼职或至少保留国外定居身份。这种留有后路的方式，使他们更像人才的国际流动而非回国效力。这为中国国内如何留住人才，发挥“海归”作用提出了新挑战。

   这段文字的主要内容是什么？

   A. 以往的“海归”致力于国内事业　　B. 现在的“海归”回国时留有后路

   C. “海归”的贡献很大　　D. 人才的国际流动很快

3. 从职业性质角度分析，形象设计师与化妆师、美容师之间的关系为：三者既有联系又有区别。其共同点为，都是以“人”作为其服务对象，以改变“人的外在形象”为最终目的。主要区别在于：美容师的主要工作是对人的面部及身体皮肤进行美化，主要工作方式是护理、保养；化妆师的主要工作是对影视演员和普通顾客的面部等身体局部进行化妆，主要工作方式为局部造型、色彩设计；形象设计师的主要工作是按照一定的目的，对人物、化妆、发型、服饰、礼仪、体态语及环境等众多因素进行整体组合，主要工作方式为综合设计。

   (1) 形象设计师与化妆师、美容师的工作一样吗？

   A. 不同　　B. 相同

   C. 没有关系　　D. 既有不同点也有相同点

   (2) 形象设计师的工作方式是什么？

   A. 护理保养　　B. 局部造型　　C. 综合设计　　D. 色彩设计

4. 健康管理就是基于个人健康档案基础上的个体化健康事务管理服务，它是建立在现代生物医学和信息化管理技术模式上，从社会、心理、生物的角度来对每个人进行全面的健康保障服务。它帮助、指导人们成功有效地把握与维护自身的健康。但传统的医疗卫生专业人员已不能满足人们日益发

展的健康保障服务需求，为此，健康管理师成为一个独立职业就显得很有必要。

健康管理作为一门学科及行业是最近二三十年的事，最早在欧美风行，并逐渐形成一个独立的行业。这个行业的兴起是由于市场的需要，特别是人的寿命延长和各类慢性疾病增加以及由此而造成的医疗费用大幅度持续上升，而寻求控制医疗费用并保证个人健康利益的需求有力地推动了健康管理的发展。

(1) 为什么健康管理师成为一个独立职业是必要的？

A. 因为健康管理帮助、指导人们成功有效地把握与维护自身的健康

B. 因为传统的医疗卫生专业人员已不能满足人们日益发展的健康保障服务需求

C. 因为 A 和 B

D. 健康管理师是新职业

(2) 健康管理职业是怎么兴起的？

A. 由于市场的需要

B. 由于医疗费用大幅度持续上升

C. 由于寻求控制医疗费用并保证个人健康利益的需求

D. 由于 A、B 和 C

5. 潘康平当幼师不到一个月，相恋几年的女友就因不满其职业和他分手了。工作还未稳定的他，深受打击，可无论怎样努力，女友都一去不回。尤其是她父亲，很决然地对他说："只要你还当幼师，就别想和我女儿谈朋友。"

比起潘康平来说，23 岁的李桂林更惨。得知他当幼师，父母非常愤怒："我们花了这么多钱供你念书，你竟然到幼儿园带孩子！"他们认为当幼师是女人干的活儿，连不识字的保姆都可以做。儿子读了十几年书，跑去当"孩子王"，而且工资只有几百块，让他们很丢脸。为此，天天跟儿子吵，要他换工作，哪怕回到农村老家教小学。

(1) 关于潘康平，下面哪句话是正确的？

A. 他离开了幼师这个职业　　B. 女友准备跟他结婚

C. 女友不跟他谈恋爱了　　D. 女友的父亲打算帮助他

(2) 关于李桂林，下面哪句话是不正确的？

A. 他是幼儿园老师　　　　B. 他父母不支持他
C. 他要去农村教小学　　　D. 他今年23岁

五 根据各段文字上下文的意思，选择唯一恰当的词语填空

1. 目前，男教师在数量上＿（1）＿弱势，尤其在城市，但这并不表示男教师不重要，＿（2）＿，许多专家认为，与女教师母亲式、呵护式的教育方法＿（3）＿，男教师比较注重孩子独立能力、意志力、创造力的发展。＿（4）＿让处于模仿时期的低龄儿童＿（5）＿接触到男教师的刚健勇敢和女教师的温柔细腻（nì），他们才能健康成长。

(1) A. 位于　B. 在于　C. 置于　D. 处于
(2) A. 相反　B. 相同　C. 相近　D. 相差
(3) A. 相反　B. 相比　C. 相信　D. 相近
(4) A. 只要　B. 虽然　C. 只有　D. 即使
(5) A. 同时　B. 还　C. 仍然　D. 不过

2. 来中国的西方"漂流族"越来越多，＿（1）＿外企也确实更欢迎他们。但＿（2）＿中国"海归"增加，"洋漂族"的好日子可能不＿（3）＿长久。中国的"海归"外语流利，拥有技术，薪金要求＿（4）＿不高，完全可以取代那些以前由这些人占据的职位。但是如今，中国＿（5）＿是"洋漂族"的理想之地。

(1) A. 一些　B. 一点　C. 全部　D. 一切
(2) A. 通过　B. 经过　C. 随着　D. 经历
(3) A. 要　B. 会　C. 必须　D. 应该
(4) A. 都　B. 正　C. 就　D. 也
(5) A. 还　B. 可　C. 而且　D. 不过

3. 专家认为，新生活催生了新职业，新职业又＿（1）＿改变人们的生活。随着经济和社会不断发展，＿（2）＿有更多的休闲职业出现。

(1) A. 而且　B. 反过来　C. 总之　D. 再说
(2) A. 已经　B. 要　C. 将　D. 过去

六 根据上下文的意思，在括号内填写一个恰当的汉字

1. 在急诊室里的一次经（　　），让王刚至今回想起来还很自（　　）。"我当时在急诊室工作，有天晚上来了一名因酒后斗殴而断了一根手指的伤者，这名伤者不

愿意配(　　)治疗，干脆将断指扔在了地上。”看着地上血淋淋的断指，在场的女(　　)生、护士都不敢捡。一想到每耽(　　)一分钟或一秒钟，都可能直接影(　　)伤者断指重接的成功，王刚二话没说，立即捡起了那根没人敢碰的断指，进行冰(　　)，最终确保了接指手术的成(　　)。

2. 1949年以前，中国留学生有近10万人，(　　)大部分学成回国，并在各领域发(　　)重要作用。如钱学森、华罗庚、李四光等一批科学泰斗，(　　)为中国各学科领域的开拓者。而1978年至2004年，中国留学生(　　)达81.4824万人，但回国者仅19万余人，其他人则成为移(　　)。

3. 时下，“灰领”指的就是既能动(　　)又能动手的复合型技能人才，通常是在制(　　)企业生产一线从事高技能操(　　)、设计或生产管理以及在服务业提(　　)创造性服务的专门技能人(　　)。

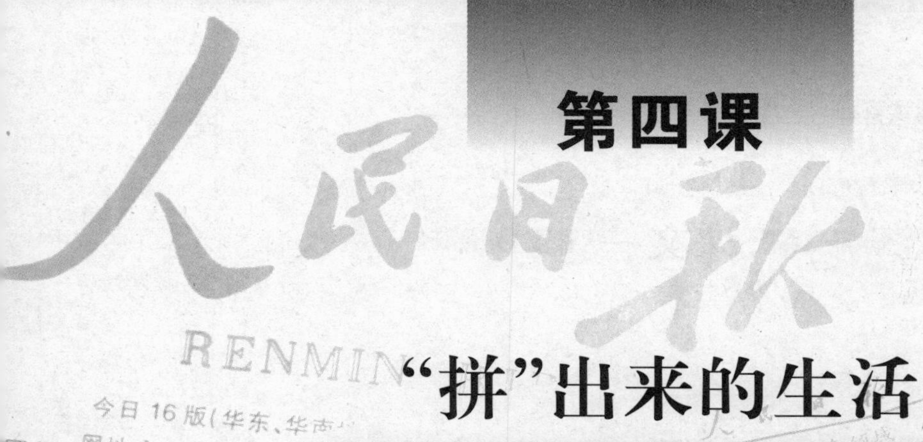

第四课

“拼”出来的生活

（时尚—理财·深度报道）

263 旅游拼车

不如一起拼個車吧！

旅游拼车 | 拼车首页 | 全部拼车信息 | 发布拼车信息 | 热门拼车信息 | 拼车帮助中心

免费发布您的供求信息

您的车注册了吗？

点击发布

推荐信息

栏目寄语：本栏目为旅游车队设计，将您的信息刊登到本栏目上将使您的业务大增！希望我们的服务您能满意！希望为您的生活和工作带来便利！

- 旅游圈—爱好旅游者的交流天地
- 时尚旅游—了解当今流行时尚
- 旅游黑名单—最有效的投诉方式
- 263旅游世界—旅游大超市

查看全部：

供车信息　求车信息

信息搜索：

搜索

信息地区分类：

北京　安徽

（旅游拼车网）

课文一

【教与学的提示】

话题背景

在中国，有许多年轻人学校毕业以后留在大城市工作，他们没有结婚，也没有自己的住房。在生活中，他们需要节约，也需要快乐，于是形成了都市“拼”族。

“拼”在现代汉语中有两个意思，一个是“不顾一切去干”的意思，如“拼命”“拼搏”“拼死”等，另一个意思是“合在一起”的意思。本文的意思是“合在一起”。

体　裁

本文的体裁为深度报道中的解释性报道，即对“拼”族的生活方式进行解释。

语篇分析

第一段为引子，提出搭伙吃饭、打的、购物等成了很多年轻人首选的生活方式。

课文的主体是五个小标题和相关的内容。前四个小标题分别说明某种“拼”的生活方式，最后一个小标题说明“拼”的意义。

“拼”出来的生活

在深圳打拼的小白领们，对高昂的生活费常常感到“胸闷”。这使得在京沪日渐流行的“拼”族生活方式也渗透到了深圳——三五成群地搭伙吃饭、打的、购物等成了不少年轻人首选的生活方式。

读后问题 “拼”族的生活方式是从什么地方开始的？出现这种生活方式的主要原因是什么？

“拼”饭：改善伙食才是真

在深圳混过的年轻人，一定少不了吃盒饭。

盒饭通常不好吃，也谈不上营养。可一个人去饭店，钱包又不允许。怎么办呢？在中信城市广场上班的陈先生喜欢和三五单身同事一起到饭店里“拼饭”。不管点了几个菜都是大家AA制，个人负担不重，每天品尝不同的菜式，又热热闹闹地打发了时间。

陈先生的同学小张因为单位常常加班，往往一忙起来就错过了就餐时间，他采用的是另外一种拼餐方式。小张单位十多人合伙请了一名钟点工，雇佣费和买菜钱大家平摊，提前订好菜单让钟点工去市场上采买，一到饭点就能吃到钟点工做好送来的热菜热饭。小张说：这种方式最重要的是可以提醒自己按时吃饭，在忙碌的工作中可以让生活更规律些，父母亲也很放心。

读后问题 “拼”饭有几种？各有什么好处？

“拼”车：最适合赶急上班族

挤公交太累，自己买车太贵，打的太不实惠，上下班的交通难题经常困扰着都市白领。于是在互联网上出现了“拼车俱乐部”，提供各种“拼车”上班的方案。把上班目的地设计成一条行车路线，几个人结伴租车上下班，根据路程远近按比例分配出租车费用。用比公交多一点的费用享受小车的潇洒，“拼车”与买车、坐公交相比，实惠方便得多。

南山区的束蕾以前经常一个人打的上班，在与住在附近的同事“拼”车后，节约了40%的交通费。“拼”车通常只对赶着上班的人群适用，下班的时候，一是不着急，二是大家常常也碰不到一块儿（下班），就没必要“拼”车了。

做销售的唐媛家住梅林，可她的工作地点却在水贝，平时一个人打车上班挺不划算的，偶然一次在都市客上看到新开了一个专门“拼车”的版，便抱着试试看的心态发了一个征集的帖子，没想到很快就有人回应她，于是两个大男生和一个女孩子的“三人拼车队”就这样拼搭成功了。第一次“拼”车的经历非常成功，三个人在不同的地方上车，出租车到达的时间和事先约定的时间非常吻合，一趟车打下来，每个人才十块钱左右。

读后问题　“拼车”是怎么拼的？有什么好处？

“拼”读：精神享受多了 物质代价少了

时尚杂志是都市女性把握潮流新动向的重要工具，哪个小白领家里没有一堆时尚杂志？不过，书报亭里各种花花绿绿的杂志太多，如果一口气全买下来，真是不太划算。刚参加工作的小云于是找到了几位姐妹，每个人买一本，轮着看，花一本杂志的钱，看两本以上的杂志，钱也省了不少，更重要的是，还有一个附加的收获，那就是丰富了女人的谈资！

最近小云她们又开始“拼”影碟了，先搜刮各自的碟片库存，拿有感触的故事片互相推荐交流，还约定统一采购以后出的新片，交流观看心得，费用大家均摊。

读后问题　拼读时尚杂志是怎么拼的？拼影碟是怎么拼的？

“拼”购：实现女人们的战略

有了“拼”饭、“拼”车，自然就有了“拼”购物。一到节日，各大商场纷纷推出返券优惠，有时候为了返券买了一堆东西凑够钱数，结果发现买非所用。于是，精明的都市人开始实施“拼购”对策。

在某报社上班的海薇就经常以“拼购”的方式得到实惠。在刚过去的“五一”黄金周，当某商场推出买800送300时，海薇就约了两个同事，每人买了一件早就看中的化妆品，凑够了800元，然后又把300元返券一分为三买了些小礼品。“这样一来大家都很划算。”

最近，海薇又与不同的朋友拼起了美容卡、健身卡，办一张卡要几千元，两三个人“拼卡”轮流使用，省了钱，又让这些卡“物尽其用”。

读后问题　“拼购”是怎么拼的？“拼卡”是什么拼的？

“拼生活”拼出了什么？

在现代都市生活中，“拼”的影子随处可见。一位“拼友”说，这种“拼生活”的意义在于让人们更懂得了珍惜和节约，也加强了人与人之间的合作与沟通。“拼”不是因为“吝啬”，而是对生活有着更深刻、更健康的理解。

喜欢“拼生活”的江亭说，“拼”族进行的各种消费，提供了一种节约的形式，在追求高品质生活的同时又省掉不少的银子。可以因“拼车”而节省50%以上的车费，也可以因“拼饭”而多尝几倍于自己餐费的美味。而大家在“拼”

的过程中还分享了很多快乐。

“这是一种聪明的生活理念，‘拼’得让人愉悦。”公务员蔡小姐说，快节奏下的现代都市人，在被纳入一个“朝九晚五”的生活定式中后，渴望交往与友谊。对蜗居在高楼大厦中的城市精英来说，即使每天都能在电梯里相遇，也很难给彼此一个深入交谈的借口。“拼生活”的出现，让背景相似和有共同兴趣的人聚集起来，促进了人际的沟通和交流，也拓展了都市人的生活圈子。

读后问题 “拼生活”具有什么意义？

（《深圳都市报》
2006年6月23日，有改动）

新闻词语、句式

一 新闻词语

1. **首选** 首先选择。
2. **拼族、拼友、拼饭、拼车、拼购、拼卡、拼生活** 这里的“拼”意思是拼合。

二 新闻句式

1. **长定语句**

（1）在中信城市广场上班的陈先生喜欢和三五单身同事一起到饭店里“拼饭”。

（2）一到饭点就能吃到钟点工做好送来的热菜热饭。

（3）时尚杂志是都市女性把握潮流新动向的重要工具。

（4）在某报社上班的海薇就经常以“拼购”的方式得到实惠。

（5）每人买了一件早就看中的化妆品。

（6）喜欢“拼生活”的江亭说，“拼”族进行的各种消费，提供了一种节约的形式，在追求高品质生活的同时又省掉不少的银子。

（7）也可以因“拼饭”而多尝几倍于自己餐费的美味。

（8）对蜗居在高楼大厦中的城市精英来说，即使每天都能在电梯里相遇，也很难给彼此一个深入交谈的借口。

（9）“拼生活”的出现，让背景相似和有共同兴趣的人聚集起来。

2. **并列项句**

（1）三五成群地搭伙吃饭、打的、购物等成了不少年轻人首选的生活方式。

（2）挤公交太累，自己买车太贵，打的太不实惠，上下班的交通难题经常困扰着都市白领。

3. **同位语句**

（1）陈先生的同学小张因为单位常常加班，往往一忙起来就错过了就餐时间。

（2）公务员蔡小姐说……

生词

1. 打拼	dǎpīn	（动）	奋斗
2. 白领	báilǐng	（名）	从事脑力劳动的职员
3. 高昂	gāo'áng	（形）	费用大
4. 胸闷	xiōng mēn		呼吸不通畅引起胸部不舒服
5. 使得	shǐdé	（动）	使产生某个结果
6. 渗透	shèntòu	（动）	比喻逐渐影响
7. 搭伙	dāhuǒ	（动）	合伙
8. 伙食	huǒshí	（名）	饭菜
9. 混	hùn	（动）	马马虎虎地活着
10. 谈不上	tán bu shàng		不算
11. 菜式	càishì	（名）	菜的种类
12. 打发	dǎfa	（动）	消磨时间
13. 就餐	jiùcān	（动）	吃饭
14. 钟点工	zhōngdiǎngōng	（名）	按小时拿工钱的人
15. 雇佣	gùyōng	（动）	出钱让人为自己做事
16. 平摊	píngtān	（动）	平均分摊
17. 忙碌	mánglù	（形）	忙着做各种事情
18. 赶急	gǎnjí	（动）	赶时间做某事
19. 实惠	shíhuì	（形）	有实际好处的
20. 难题	nántí	（名）	难解决的问题
21. 困扰	kùnrǎo	（动）	围困扰乱
22. 互联网	hùliánwǎng	（名）	网络

23. 结伴	jiébàn	（动）	几个人一起
24. 潇洒	xiāosǎ	（形）	举止等自然大方
25. 划算	huásuàn	（形）	合算
26. 偶然	ǒurán	（副）	很少发生
27. 心态	xīntài	（名）	心理状态
28. 征集	zhēngjí	（动）	广泛收集
29. 帖子	tiězi	（名）	写着字的条子，这里指网上张贴的文章
30. 回应	huíyìng	（动）	回答
31. 拼搭	pīndā	（动）	合在一起
32. 事先	shìxiān	（名）	事情开始以前
33. 吻合	wěnhé	（动）	完全符合
34. 代价	dàijià	（名）	为得到某种东西而付出的钱等
35. 时尚	shíshàng	（形）	时髦
36. 把握	bǎwò	（动）	掌握
37. 潮流	cháoliú	（名）	发展的趋势
38. 动向	dòngxiàng	（名）	变化的方向
39. 花花绿绿	huāhuālǜlǜ	（形）	各色各样，品种很多
40. 附加	fùjiā	（动）	附带加上
41. 谈资	tánzī	（名）	谈话的内容
42. 影碟	yǐngdié	（名）	VCD 或 DVD
43. 搜刮	sōuguā	（动）	全部找出来
44. 库存	kùcún	（动/名）	东西不用时放在某个地方；存放的东西的数量
45. 感触	gǎnchù	（名）	感想
46. 推荐	tuījiàn	（动）	把好的东西向别人介绍
47. 采购	cǎigòu	（动）	大数量地购买
48. 心得	xīndé	（名）	体会
49. 战略	zhànlüè	（名）	决定全局的策略
50. 返券	fǎn quàn/fǎnquàn	（动/名）	购物时以券的形式返还部分钱

51. 优惠	yōuhuì	（形）	比一般要便宜一些
52. 凑	còu	（动）	拼合
53. 精明	jīngmíng	（形）	精细聪明
54. 对策	duìcè	（名）	针对性的策略
55. 美容	měiróng	（动）	使容貌美丽
56. 健身	jiànshēn	（动）	锻炼身体
57. 轮流	lúnliú	（副）	按照次序一个接一个
58. 随处	suíchù	（副）	到处
59. 珍惜	zhēnxī	（动）	珍重爱惜
60. 沟通	gōutōng	（动）	联系
61. 吝啬	lìnsè	（形）	小气
62. 品质	pǐnzhì	（名）	高质量
63. 理念	lǐniàn	（名）	观念
64. 愉悦	yúyuè	（形）	愉快
65. 节奏	jiézòu	（名）	步子
66. 纳入	nàrù	（动）	进入
67. 定式	dìngshì	（名）	形成以后就不变的方式
68. 渴望	kěwàng	（动）	非常希望
69. 蜗居	wōjū	（动）	在小范围内生活
70. 精英	jīngyīng	（名）	优秀人才
71. 彼此	bǐcǐ	（代）	相互之间
72. 借口	jièkǒu	（名/动）	找出来的理由；找理由
73. 聚集	jùjí	（动）	集中
74. 拓展	tuòzhǎn	（动）	扩大范围

一、根据课文内容简单回答下列问题

1. 拼饭时请来的钟点工要做什么事情？

2. 下班的时候为什么不用拼车？
3. 为什么都市女性喜欢看时尚杂志？
4. 拼购和拼卡有什么共同的地方？
5. “拼”生活，除了可以省钱以外，还有什么好处？

二、解释画线词语，理解下列句子的意思

1. 在深圳打拼的小白领们，对高昂的生活费常常感到“胸闷”。

   胸闷：

2. 这使得在京沪日渐流行的“拼”族生活方式也渗透到了深圳。

   渗透：

3. 不管点了几个菜都是大家AA制，个人负担不重，每天品尝不同的菜式，又热热闹闹地打发了时间。

   AA制：

4. 时尚杂志是都市女性把握潮流新动向的重要工具，哪个小白领家里没有一堆时尚杂志？

   潮流：

5. 不过，书报亭里各种花花绿绿的杂志太多，如果一口气全买下来，真是不太划算。

   一口气：

6. “拼”族进行的各种消费，提供了一种节约的形式，在追求高品质生活的同时又省掉不少的银子。

   银子：

7. 快节奏下的现代都市人，在被纳入一个“朝九晚五”的生活定式中后，渴望交往与友谊。

   朝九晚五：

8. 对蜗居在高楼大厦中的城市精英来说，即使每天都能在电梯里相遇，也很难给彼此一个深入交谈的借口。

   蜗居：

9. “拼生活”的出现，让背景相似和有共同兴趣的人聚集起来，促进了人际的沟通和交流，也拓展了都市人的生活圈子。

   圈子：

三、根据课文内容填写下面的表格

	方法	好处
拼饭		
拼车		
拼读		
拼购		

四、问一下你的同桌，他（她）跟别人是否拼过生活以及对拼生活的看法

____

____

五、给下列动词写出更多的宾语

1. 拼车　　拼______　拼______　拼______
2. 品尝不同的菜式　　品尝______　品尝______　品尝______
3. 节约钱　　节约______　节约______　节约______
4. 追求高品质生活　　追求______　追求______　追求______

六、用所给词语组成完整的句子

1. A. 上下班　B. 人　C. 租车　D. 结伴　E. 几个

句子______________________________

2. A. 美容卡　B. 朋友　C. 她　D. 拼　E. 与

句子______________________________

3. A. 交往　B. 现代都市人　C. 渴望　D. 友谊　E. 与

句子______________________________

4. A. 同事　B. 拼饭　C. 他　D. 和　E. 喜欢　F. 一起

句子______________________________

5. A. 钟点工　B. 十多人　C. 请　D. 一名　E. 合伙　F. 了

句子 ______

6. A. 交通难题　B. 上下班　C. 都市白领　D. 困扰着　E. 经常　F. 的

句子 ______

7. A. 在电梯里　B. 每天　C. 大家　D. 相遇　E. 都　F. 能

句子 ______

8. A. 沟通和交流　B. 促进　C. 拼生活　D. 人际　E. 了　F. 的

句子 ______

9. A. 快乐　B. 大家　C. “拼”的过程　D. 分享了　E. 在　F. 中　G. 很多

句子 ______

10. A. 费用　B. 他们　C. 分配　D. 按比例　E. 路程远近　F. 根据　G. 出租车

句子 ______

七、请用所给的句子组成一段话，并标出标点符号

1. 句子

A. 一到饭点就能吃到钟点工做好送来的热菜热饭
B. 雇佣费和买菜钱大家平摊
C. 提前订好菜单让钟点工去市场上采买
D. 小张单位十多人合伙请了一名钟点工

语段 ______

______

2. 句子

A. 然后又把 300 元返券一分为三买了些小礼品
B. 每人买了一件早就看中的化妆品

C. 这样一来大家都很划算

D. 当某商场推出买 800 送 300 时，海薇就约了两个同事

E. 凑够了 800 元

语段 ______________________________

____

3. 句子

A. 先搜刮各自的碟片库存

B. 费用大家均摊

C. 最近小云她们又开始“拼”影碟了

D. 拿有感触的故事片互相推荐交流

E. 还约定统一采购以后出的新片

F. 交流观看心得

语段 ______________________________

____

课文二

读前准备

选择对下列句子中画线词语的恰当解释

1. 对于刚工作不久、工资在 3000 元左右的新人来说，金钱是有限的，工资是菲(fěi)薄的，精力是旺盛的。

   菲薄：　A. 数量很少　B. 数量很多

2. 各种需要花钱的爱好，还有朋友的约会、时尚书籍、CD 等等都是触目可及的。

   触目可及：　A. 难得碰到　B. 很容易碰到

3. 首先，拿出每个月必须支付的生活费。如房租、水电、通讯费、柴米油盐等，这部分约占收入的 1/3。它们是你生活中不可或缺的部分，满足你最基本的物质需求。

   不可或缺：　A. 不能缺少　B. 可以缺少

4. 但是到了月底的时候，往往就变成了泡沫经济：存进去的大部分又取出来了，而且是不动声色，好像细雨润物一样就不见了，散布于林林总总自己喜欢的衣饰、杂志或朋友聚会上。

泡沫经济： A. 不能长久的经济 B. 可以长久的经济

不动声色： A. 不表现出来 B. 表现出来

细雨润物： A. 很大的雨落在东西上 B. 很小的雨落在东西上

林林总总： A. 各种各样 B. 种类很少

5. 要知道，现在很多公司动辄（zhé）减薪裁员。如果你一点储蓄都没有，一旦工作发生了变动，你将会是非常被动的。

动辄减薪裁员：A. 经常减少工资和员工 B. 经常增加工资和员工

6. 而且这 3 个月的收入可以成为你的定心丸，实在工作干得不开心了，你可以无需再忍，愤而拂袖离职，想想是多么大快人心的事啊。

定心丸： A. 一种让人感到安心的东西
B. 一种让人感到不安的东西

愤而拂袖离职：A. 因为高兴而工作下去
B. 因为愤怒而离开目前的工作

大快人心： A. 令人感到不痛快
B. 令人感到痛快

7. 譬如五一、十一可以安排自己旅游；服装打折时可以购进自己心仪已久的牌子货；还有平时必不可少的购买 CD、朋友聚会的开销。这样花起来心里有数，不会一下子把钱都用完。

心仪已久： A. 渴望了很长时间 B. 不太想得到

心里有数： A. 心里没底 B. 心里有底

8. 当然我们应该知道节流只是我们生活工作的一部分，就像大厦的基层一样。

节流： A. 控制水的流量 B. 控制钱的使用量

9. 一旦脱离了菜鸟身份，对于职场中的各位同仁来讲，最重要的是怎样财源滚滚、开源有道。

菜鸟： A. 可以做菜的鸟 B. 比喻处于被动地位的人

同仁： A. 同事或同行 B. 同学

月工资 3000 元的白领理财经

读前问题　工资在 3000 元左右的年轻人有什么特点？

对于刚工作不久、工资在 3000 元左右的新人来说，金钱是有限的，工资是菲薄的，精力是旺盛的，而品牌衣服、化妆品（特别对于女性），各种需要花钱的爱好，还有朋友的约会、时尚书籍、CD 等都是触目可及的。

怎样既享受生活，又收支平衡呢？职场新人可以把支出分成三大部分：

（一）

读前问题　生活费包括哪些？

首先，拿出每个月必须支付的生活费。如房租、水电、通信费、柴米油盐等，这部分约占收入的 1/3。它们是你生活中不可或缺的部分，满足你最基本的物质需求。离开了它们，你就会像鱼儿离开了水一样无法生活，所以无论如何，请你先从收入中抽出这部分，不要动用。

（二）

读前问题　为什么要储蓄？

其次，是自己用来储蓄的部分，也约占收入的 1/3。每次存钱的时候，都会很有成就感，好像安全感又多了几分。但是到了月底的时候，往往就变成了泡沫经济：存进去的大部分又取出来了，而且是不动声色，好像细雨润物一样就不见了，散布于林林总总自己喜欢的衣饰、杂志或朋友聚会上。这个时候，你要大声对自己讲："我要投资自己的明天，我要保护好自己的财产。"起码，你的存储能保证你 3 个月的基本生活。要知道，现在很多公司动辄减薪裁员。如果你一点储蓄都没有，一旦工作发生了变动，你将会是非常被动的。而且这 3 个月的收入可以成为你的定心丸，实在工作干得不开心了，你可以无需再忍，愤而挥袖离职，想想是多么大快人心的事啊。所以，无论如何，请为自己留条退路。

（三）

读前问题　活动资金有哪些用处？

剩下的这部分钱，约占收入的 1/3。可以根据自己当时的生活目标，侧重地花在不同的地方。譬如五一、十一可以安排自己旅游；服装打折时可以购进自己心仪已久的牌子货；还有平时必不可少的购买 CD、朋友聚会的开销。这样花起来心里有数，不会一下子把钱都用完。

（四）

读前问题　什么是真正的生财之道？

当然，我们应该知道，节流只是我们生活工作的一部分，就像大厦的基层一样。一旦脱离了菜鸟身份，对于职场中的各位同仁来讲，最重要的是怎样财源滚滚、开源有道，为了达到一个新目标，你必须不断进步以求发展，培养自己的实力以求进步，这才是真正的生财之道。

（中华网 www.china.org.cn 2006 年 5 月 12 日）

读后分析讨论

一、给本课文四个部分各选择一个合适的小标题

（一）	A. 储蓄占收入 1/3
（二）	B. 最重要的是开源
（三）	C. 生活费占收入 1/3
（四）	D. 活动资金占收入 1/3

二、根据课文判断正误

1. 每个月可以从收入中抽出生活费。（ ）
2. 月初存进银行的钱可以在月底花在喜欢的衣饰、杂志或朋友聚会上。（ ）
3. 存储要保证 3 个月的基本生活。（ ）
4. 没有储蓄就没有退路。（ ）
5. 剩下的 1/3 的钱可以花在休闲上。（ ）
6. 节流是真正的赚钱办法。（ ）

三、找出课文中三个以上长定语句

____

____

四、想一想，把你的想法告诉大家

1. 如果月收入是一万元的人，应该怎样理财呢？

____

____

2. 如果你现在的收入不高，你打算怎么增加收入呢？

____

____

第五课

关注“博客”

（时尚一博客·深度报道）

sina 新浪BLOG (beta 3.0)

老徐

http://blog.sina.com.cn/m/xujinglei > 复制 > 收藏本页

HOME 登录 | 注册 | 搜索 | 帮助

发表文章

徐静蕾的BLOG

公告

鲜花村终于正式开始试营业，并不断完善中，欢迎光临

www.kaila.com.cn

《梦想照进现实》的彩铃和完整的歌曲。

澳门烟花

2006-09-08 13:40:17

效果一般，看个意思吧……

http://blog.kaila.com.cn/user1/xujinglei/archives/2006/60483.shtml#cmt

固定链接 | 评论(54) | 引用 | 阅读(0)

《伤城》关机

2006-09-07 00:51:38

本想发照片，发现没带读卡器，连线也没有，只好作罢，回去再发。

本篇日记已经是第三次写，前面两次写的都不小心给删了，是由于没带鼠标导致的操作问题，鉴于要做一个心平气和有耐心的人，我要求自己不急不躁面带微笑的耐心写第三遍……

（徐静蕾的博客）

课文一

【教与学的提示】

话题背景

“博客”一词是从英文单词 Blog 翻译而来。Blog 是 Weblog 的简称，而 Weblog 则是由 Web 和 Log 两个英文单词组合而成。Weblog 就是在网络上发布和阅读的流水记录，通常称为“网络日志”，简称为“网志”。Blogger 即指撰写 Blog 的人。Blogger 在很多时候也被翻译成为“博客”一词，而撰写 Blog 这种行为，有时候也被翻译成“博客”。因而，中文“博客”一词，既可作为名词，分别指代两种意思 Blog（网志）和 Blogger（撰写网志的人），也可作为动词，意思为撰写网志这种行为，只是在不同的场合分别表示不同的意思罢了。

Blog 的运作其实就是一个网页，通常由简短且经常更新的帖子（post，作为动词，表示张贴的意思，作为名词，指张贴的文章）构成，这些帖子一般是按照年份和日期倒序排列的。而作为 Blog 的内容，它可以是你纯粹个人的想法和心得，包括你对时事新闻、国家大事的个人看法，或者你对一日三餐、服饰打扮的精心料理等，也可以是在基于某一主题的情况下或是在某一共同领域内由一群人集体创作的内容。

体　裁

本文的体裁是深度报道中的解释性报道。

语篇分析

本文的四个小标题从不同方面提示了本文的内容。

第一个小标题“博客正走进我们的生活”，说明这种现象引起人们的关注。

第二个小标题“博客为何这么火?”解释博客流行的原因。

第三个小标题“表达民意的新路径”，说明博客的正面作用。

第四个小标题“博客不是垃圾桶”，说明博客可能引起的负面影响。

关注“博客”

博客正走进我们的生活

近日，央视《全球资讯榜》节目报道了一条消息：6月2日，中国第一个“千万草根博客”在新浪网诞生了。所谓“草根”即写博者并非名人而是普通平民。这家名为“极地阳光”的博客，自今年3月7日开博以来，不到三个月的时间里，点击率就超过了一千万，引起了巨大的关注。

写博客、回博客已经成为现代人，特别是“新新人类[①]”生活中的重要内容。有人估计，中国的博客受众达上亿人。日前，省级机关有位公务员去美国探亲三个月，她把在美国的所见所闻写成9篇日记，发表在自己的博客上，让那些没有去过美国的朋友、同事们共享；世界杯开赛了，南京一位到德国现场报道的老记[②]，除了每天采写大量的现场报道发给报社以外，也没有忘记通过博客把现场的气氛带给远在南京的球迷们……

博客（英文名 Blog）是一种网络日记，既可以记录生活中的经历和感受，也可以发表观点、与人交流，真可谓“想说就说”。博客又称为“自媒体”，有人说，博客是“零壁垒”进入的媒体，既是零编辑，又是零技术、零成本。目前，很多网站都开辟了博客专区。

读后问题 什么叫博客？什么叫草根博客？中国有多少博客受众？

博客为何这么火？

“极地阳光”的博主 Acosta 一夜之间成了中国的“博客名人”。说起“博客名人”，还要从“名人博客”说起。去年新浪打出的“名人博客”专栏，旨在吸引广大网友的注意力。在 Acosta 之前，新浪上已有七位“千万人气博主”，他们都是耳熟能详的知名人物，比如徐静蕾、韩寒、洪晃、潘石屹[③]等。目前，新浪上最火的“名人博客”还是“老徐”——徐静蕾的博客，点击率已近四千万。

徐博的火，有人说是“美女＋才女”的原因，其言行举止自然备受关注。在很多人看来，读其文又回帖，就是与名人亲密接触了。另外，还有借宝地“升值”的，有一位网友就留言道“不好意思，我只想利用你的平台，吸引有品位的朋友来我博客做客”，更有甚者把广告做到了此地……可以说，趋之若鹜者各怀心思，但根本原因就在于它是名人的名博，于是越点越热、越回越火。

读后问题 博客名人和名人博客有什么不同？名人博客为什么很“火”？

表达民意的新路径

作为一种新型的网络交流方式，政府部门正在谨慎地利用博客，将其作为表达民意、上下沟通的一种方式。最成功的例子，当数今年全国“两会”期间人民网率先开通的“两会博客”。它主要开设了“代表委员博客”（要求作者为全国人大代表或全国政协委员）、“记者博客”（要求为上会记者）和“博友写两会”（请网友参与）三个版块。开通不到一天，博客上就发表文章250多篇，网友评论400多条，点击率超过10万，大大方便了代表、委员与记者、网友的直接交流。可见，作为与民沟通的新渠道，两会博客为人们参政议政提供了新的平台，在上情下达、下情上送中发挥了积极作用。

此外，有的地方利用博客开“网上听证会”等，为普通百姓参政议政、表达心声打通新路径。

读后问题　政府是怎么利用博客的？

“博客不是垃圾桶”

博客也是一面双刃剑。通过博客，人们可以表现自我，可以传播资讯，可以促进交流；同时，它也带来了一些负面影响。江苏省社科院一位研究员接受记者采访时说：“博客是个人的也是大众的。”他认为，无论是写博还是回博，任何人都可以说自己想说的话，表达各种观点和看法。但是，正因其“零壁垒”、乏约束，博客中难免潜伏着一些丑陋的东西，诸如信口开河甚至污言秽语，都造成了极为恶劣的影响。长此以往，诚信从何谈起？美德如何提倡？博客原本是自我展现的客厅，现在却成了谁都可以闯进来肆意骂娘的垃圾桶，这就上升为公共文化管理的问题。公开发表的言论如果没有法律的约束，承载这些言论的平台也就岌岌可危了。

正因为如此，有人提出“博客不是垃圾桶”，我们应该坚守基本的道德底线，知荣明耻，谨言慎行，净化博客地带，净化网络环境。

愿“博客”一路走好！

读后问题　博客的正面作用是什么？负面作用又是什么？

（《新华日报》2006年6月28日，
记者　刘敏、姜圣瑜）

【注释】

① **新新人类**　20世纪80年代出生的人。

② **老记**　对“记者”的诙谐称呼。

③ **徐静蕾**　演员、导演；**韩寒**　青年作家；**洪晃**　演员；**潘石屹**（yì）　房地产商。

新闻词语、句式

一 新闻词语

1. **日前**　两三天前。
2. **央视**　“中央电视台”的简称。
3. **两会**　全国人民代表大会（全国人大）和全国政治协商会议（全国政协）的简称。
4. **博客、博主、开博、写博、回博**　这些词都与博客有关。

二 新闻句式

1. 长定语句

（1）世界杯开赛了，南京一位到德国现场报道的老记，除了每天采写大量的现场报道发给报社以外，也没有忘记通过博客把现场的气氛带给远在南京的球迷们。

（2）政府部门正在谨慎地利用博客，将其作为表达民意、上下沟通的一种方式。

（3）最成功的例子，当数今年全国“两会”期间人民网率先开通的“两会博客”。

（4）博客原本是自我展现的客厅，现在却成了谁都可以闯进来肆意骂娘的垃圾桶，这就上升为公共文化管理的问题。

2. 并列词语句

（1）有人说，博客是“零壁垒”进入的媒体，既是零编辑，又是零技术、零成本。

（2）他们都是耳熟能详的知名人物，比如徐静蕾、韩寒、洪晃、潘石屹等。

（3）它主要开设了“代表委员博客”（要求作者为全国人大代表或全国政协委员）、“记者博客”（要求为上会记者）和“博友写两会”（请网友参与）三个版块。

成语

1. 耳熟能详	ěr shú néng xiáng	听得熟悉了，以至可以详细地说出来。
2. 趋之若鹜	qū zhī ruò wù	像野鸭子一样成群地跑过去，比喻很多人争着去。
3. 信口开河	xìn kǒu kāi hé	不加考虑，随便乱说。
4. 污言秽语	wū yán huì yǔ	脏话，下流的话。
5. 岌岌可危	jíjí kě wēi	情况处在危急状态。
6. 知荣明耻	zhī róng míng chǐ	知道什么是光荣的，什么是可耻的。
7. 谨言慎行	jǐn yán shèn xíng	说话和做事小心谨慎。

生词

1. 资讯	zīxùn	（名）	信息
2. 榜	bǎng	（缀）	排列先后名次的名单
3. 草根	cǎogēn	（名）	社会底层
4. 博客	bókè	（名）	网络日记
5. 所谓	suǒwèi	（区）	所说的
6. 点击率	diǎnjīlǜ	（名）	点击的频率
7. 关注	guānzhù	（动）	关心注意
8. 受众	shòuzhòng	（名）	指读者、听众和观众
9. 探亲	tànqīn	（动）	探望亲戚
10. 共享	gòngxiǎng	（动）	共同享用
11. 开赛	kāisài	（动）	开始比赛
12. 采写	cǎixiě	（动）	采访写作
13. 报社	bàoshè	（名）	编辑出版报纸的机构
14. 可谓	kěwèi	（动）	可以说是
15. 壁垒	bìlěi	（名）	进去的障碍
16. 网站	wǎngzhàn	（名）	网络的站点
17. 专区	zhuānqū	（名）	专门的区域
18. 博主	bózhǔ	（名）	博客的主人

19. 专栏	zhuānlán	（名）	专门的栏目
20. 旨在	zhǐ zài		目的在于
21. 人气	rénqì	（名）	参与的人数
22. 举止	jǔzhǐ	（名）	举动
23. 备受	bèishòu	（动）	普遍受到
24. 回帖	huí tiě	（动）	回帖子；网上回复论坛中的留言
25. 宝地	bǎodì	（名）	好地方
26. 升值	shēngzhí	（动）	价值升高
27. 品位	pǐnwèi	（名）	品质、水平
28. 心思	xīnsi	（名）	想法
29. 路径	lùjìng	（名）	途径
30. 新型	xīnxíng	（区）	种类新的
31. 谨慎	jǐnshèn	（形）	小心
32. 民意	mínyì	（名）	民众的意愿
33. 沟通	gōutōng	（动）	联系
34. 率先	shuàixiān	（副）	首先
35. 开通	kāitōng	（动）	打开通道
36. 开设	kāishè	（动）	开始设立
37. 版块	bǎnkuài	（名）	网页的部分
38. 渠道	qúdào	（名）	途径，门路
39. 参政	cānzhèng	（动）	参与政治
40. 议政	yìzhèng	（动）	议论政治
41. 听证会	tīngzhènghuì	（名）	在决定政策以前听取意见的会议
42. 双刃剑	shuāngrènjiàn	（名）	两面都有刃的剑，比喻具有两面性
43. 自我	zìwǒ	（代）	自己
44. 负面	fùmiàn	（区）	不好的一面
45. 乏	fá	（动）	缺少
46. 约束	yuēshù	（动）	限制使不出范围
47. 难免	nánmiǎn	（形）	很难避免
48. 潜伏	qiánfú	（动）	隐藏

49. 丑陋	chǒulòu	（形）	丑恶
50. 诸如	zhū rú		表示不止一个例子
51. 恶劣	èliè	（形）	很坏
52. 诚信	chéngxìn	（名）	诚实可靠
53. 美德	měidé	（名）	美好的品德
54. 提倡	tíchàng	（动）	主张
55. 展现	zhǎnxiàn	（动）	显示出来
56. 肆意	sìyì	（副）	不顾一切地
57. 骂娘	màniáng	（动）	骂人
58. 承载	chéngzài	（动）	承受重量
59. 坚守	jiānshǒu	（动）	坚持并守住
60. 底线	dǐxiàn	（名）	最后的界线
61. 净化	jìnghuà	（动）	使变干净
62. 地带	dìdài	（名）	地区

一、根据课文内容简单回答下列问题

1. 那家名为“极地阳光”的博客从开博到点击率达到千万，花了多长时间？
2. “新新人类”生活中的重要内容是什么？
3. 那位公务员把在美国的所见所闻写成日记发表在自己的博客上，目的是什么？
4. 徐静蕾博客那么“火”，根本原因是什么？
5. “两会博客”起到了什么作用？
6. 博客中潜伏的丑陋的东西是指什么？

二、解释画线词语，理解下列句子的意思

1. 所谓“草根”即写博者并非名人而是普通平民。

　　草根：

2. 写博客、回博客已经成为现代人，特别是“新新人类”生活中的重要内容。

新新人类：

3. 博客又称为“自媒体”，有人说，博客是“零壁垒”进入的媒体，既是零编辑，又是零技术、零成本。

零壁垒： 零编辑：

零技术： 零成本：

4. 博客也是一面双刃剑。通过博客，人们可以表现自我，可以传播资讯，可以促进交流；同时，它也带来了一些负面影响。

双刃剑： 负面：

三、问一下你的同桌，他（她）跟博客有什么关系

____

____

四、给下列动词写出更多的宾语

1. 发表观点　发表______　发表______　发表______
2. 吸引注意力　吸引______　吸引______　吸引______
3. 提供平台　提供______　提供______　提供______
4. 促进交流　促进______　促进______　促进______

五、用所给词语组成完整的句子

1. A. 博客专区　B. 网站　C. 都　D. 了　E. 开辟　F. 很多

句子 ____

2. A. 现场报道　B. 报社　C. 他　D. 发给　E. 采写　F. 每天

句子 ____

3. A. 所见所闻　B. 日记　C. 写成　D. 把　E. 9篇　F. 她

句子 ____

4. A. 都　B. 说　C. 可以　D. 任何人　E. 话　F. 自己想说的

句子 ____

5. A. 任何人　B. 观点　C. 表达　D. 可以　E. 都　F. 各种

句子 ________________

6. A. 言行举止　B. 名人博客　C. 的　D. 关注　E. 自然
F. 备受

句子 ________________

7. A. 人们　B. 提供了　C. 参政议政　D. 新的平台
E. 两会博客　F. 为

句子 ________________

8. A. 潜伏着　B. 丑陋的东西　C. 博客　D. 一些　E. 难免
F. 中

句子 ________________

9. A. 博客　B. 现场的气氛　C. 通过　D. 球迷们　E. 他
F. 带给　G. 把

句子 ________________

10. A. 可以　B. 人们　C. 博客　D. 表现　E. 通过　F. 自我
G. 来

句子 ________________

六、请用所给的句子组成一段话，并标出标点符号

1. 句子

A. 让那些没有去过美国的朋友、同事们共享
B. 她把在美国的所见所闻写成9篇日记
C. 省级机关有位公务员去美国探亲三个月
D. 发表在自己的博客上

语段 ________________

____

2. 句子

A. 大大方便了代表、委员与记者、网友的直接交流

B. 在上情下达、下情上送中发挥了积极作用

C. 点击率超过 10 万

D. 可见，作为与民沟通的新渠道，两会博客为人们参政议政提供了新的平台

E. 两会博客开通不到一天，博客上就发表文章 250 多篇，网友评论 400 多条

语段 ____

____

3. 句子

A. 而博客的开放性、自主性正好为老人提供了这种表达自我的平台

B. 过去的老人多局限于“被动养老”

C. 他们希望能有自己的声音

D. 但随着社会的发展、资讯的发达、医疗保健的日益受重视，一些有条件的老人表现出比过去强很多的“社会性需要”

E. 对精神的追求比较少

语段 ____

____

课文二

读前准备

选择对下列句子中画线词语的恰当解释

1. 一个 30 平方米的房间，4 个年轻人，每人一台电脑，一个麦克风加上简单的音频软件，就是这么一个看似简陋（lòu）的地方，却活跃着一群时下被称做“网络播客”的时尚年轻人。这是记者近日在北京一间写字楼里看到的情景。

   看似简陋：A. 看上去似乎简单粗陋　　B. 看上去好像豪华

   写字楼：　A. 办公楼　　B. 住宅楼

2. 小马是比较早涉足这个领域的，最开始他并不知道“播客”这个名称，只是自己倾诉欲比较强，喜欢语音聊天，久而久之有了把自己的声音录下来在网上和大家分享的想法。

涉足：　　A. 进入　　　　　　　　　　B. 经过

倾诉欲：　A. 把自己不想说的话说出来

B. 把自己想说的话都说出来的欲望

3. 据资料显示，中国目前播客人数已达几十万，而菠萝网、派派播客网、播客中国等播客网，也不断涌现。

涌现：　　A. 出现的数量少　　　　　　B. 出现的数量多

4. 播客的工作就是把内容的发布、展示、浏览完全放在一个平台上。

平台：　　A. 一种平而高的地方　　　　B. 开展工作的地方

5. 小马他们几个人现在进行的活动纯粹是一种满足个人爱好的非商业行为。

纯粹：　　A. 完全　　　　　　　　　　B. 不完全

6. 他们经常随身带着DV机，碰到有趣的事情就随时记录下来，这样他们就可以给各位网友提供图文并茂的、极具现场感和冲击力的播客新闻。

图文并茂：A. 既有图片又有文字　　　　B. 只有图片没有文字

7. 随着宽带用户的普及，包括播客在内的国内宽带娱乐业将会酝酿一次新的爆炸式增长。

酝酿：　　A. 经过准备以后产生　　　　B. 造酒的过程

8. 天下没有免费的午餐，播客也不可能永远免费下去。

天下没有免费的午餐：A. 午餐要花钱

B. 任何东西的得到都是要有代价的

网络播客渐成职场新宠

读前问题　什么样的人会成为网络播客？他们的工作环境是怎样的？

一个30平方米的房间，4个年轻人，每人一台电脑，一个麦克风加上简单的音频软件，就是这么一个看似简陋的地方，却活跃着一群时下被称做“网络播客”的时尚年轻人。这是记者近日在北京一间写字楼里看到的情景。小马是比较早涉足这个领域的，最开始他并不知道“播客”这个名称，只是自己倾诉欲比较强，喜欢语音聊天，久而久之有了把自己的声音录下来在网上和大家分享的想法。其实，这就是网络播客的形态。

（一）

读前问题　网络播客是什么时候

出现的？在中国最早的播客网是从什么时候开始的？它的情况怎么样？网友在播客网上做些什么？

网络播客出现于2004年初，在短时间内迅速发展起来。目前，美国的《纽约时报》、《华盛顿邮报》、《费城每日新闻》和《丹佛邮报》等都开始涉足播客，推出“可以听的报纸”，以适应竞争激烈的报业市场。现在，国内已经拥有总共900多节目数的中文播客，涉及70多家频道。最早的播客网“土豆网”，从2005年4月15日正式服务至今，已有十几万注册用户，每天浏览人数达五六万人次。据资料显示，中国目前播客人数已达几十万，而菠萝网、派派播客网、播客中国等播客网，也不断涌现。于是，一个新兴的职业——网络播客，或者叫播客主持人诞生了。

播客的工作就是把内容的发布、展示、浏览完全放在一个平台上。小马他们几个人现在进行的活动纯粹是一种满足个人爱好的非商业行为。他告诉记者，他们经常随身带着DV机，碰到有趣的事情就随时记录下来，这样他们就可以给各位网友提供图文并茂的、极具现场感和冲击力的播客新闻。其实，播客还可以录制网络声讯节目，网友可将网上的广播节目下载到MP3播放器中随身收听；网友还可以自己制作声音节目，并将其上传到网上与广大网友分享。任何人都可以通过网页、RSS等途径来订阅、下载别人的“播客服务”，商业的价值也在高点击率下显现出来。目前，国内第一家播客网站“土豆网”每天新增的音频和视频有100个左右，注册用户达到了6万多人。虽然到现在为止，网站基本上还没有赢利，但是它的创始人坚信，网络播客的前景将一片光明。

（二）

读前问题 吴小姐为什么对自己的工作很满意？播客平台通过什么方式来赢利？

据统计，中国宽带用户人数已经突破1000万人，而目前我国宽带用户的普及率仅有2%，宽带市场还有很大的增长空间。业内人士分析，随着宽带用户的普及，包括播客在内的国内宽带娱乐业将会酝酿一次新的爆炸式增长。这将为网络播客的发展带来新的机遇。

一位从事网络播客主持人的吴小姐告诉记者，她的月收入大概在5000元左右，如果自己的节目点击率高的话，还可以额外得到一些奖金，对于这份工作她很满意。她认为，网络播客不会有长相、身高等一些客观条件的限制，只要喜欢这个工作并努力把它做好就行了，还很时尚很轻松。

天下没有免费的午餐，播客也不可能永远免费下去。博客网的梁书斌在接受媒体采访时表示，对播客托管进行收费也可能是一种赢利模式：“在我们开放播客平台之后，我们会提供100M的免费空间给注册用户，不过如果一些用户的播客做得特别好，需要更大空间的话，他们就需要从我们这里购买空间。”而作为听众来说，现在收听播客节目是完全免费的，将来一些优秀的播客节目或许将采取收费订阅的形式。据某播客的负责人透露，在他们的播客平台做到足够好的情况下，网站将会对热门播客进行收费订阅。播客作为一个多媒体，它可以借鉴很多传统媒体赢利的方式，比如冠名播出，比如插播广告等等。这些方法已经在国外的一些网站得到了实践并取得了良好的效果。

如果按照这个方式运行下去，在未来的时间里，网络播客主持人将形成新的职业空缺，会出现大量的就业机会，但同时对播客主持人的要求也将越来越高。

（《市场报》2006 年 7 月 7 日，记者　张慧丽）

读后分析讨论

一、给本课文两个部分各选择一个合适的小标题

（一）　　　　A. 商机何以体现

（二）　　　　B. 初始到发展的飞跃

二、根据课文判断正误

1. 网络播客需要很多设备。（　）
2. 中国最早的播客网是菠萝网。（　）
3. 播客网不具有商业价值。（　）
4. 网络播客发展的前提是宽带用户的增加。（　）
5. 网络播客有长相、身高等的限制。（　）
6. 现在收听播客节目只收很少的费用。（　）

三、找出课文中三个以上长定语句

____

____

四、比较一下博客和播客相同和不同的地方，并且把比较的结果与同桌对比一下

____

____

第六课

“定制生活”催生产销模式新变革

（时尚—消费模式 · 深度报道）

（中国首辆定制汽车）

课文一

【教与学的提示】

话题背景

工业化时代产生了标准化经济，大批量生产将同样的产品卖给不同的顾客，“定制经济”则要求生产者针对不同顾客的个性需求而生产出不同的产品。

体　裁

本文的体裁为深度报道的预测性报道。

语篇分析

本文分两大部分。

第一部分为引子，提出定制生活正逐渐成为一种新的消费模式，将引发传统产销模式的重大变革。

第二部分为主体，共分三个小标题。

第一个小标题：“定制生活”预示着个性化消费时代的到来。这部分说明存在这种现象。

第二个小标题：“定制生活”蕴含深刻的经济背景。这部分说明产生这种现象的原因。

第三个小标题：“定制生活”催生产销模式新变革。这部分说明这种现象所带来的影响。

“定制生活”催生产销模式新变革

结婚可以定婚纱，买房可以定设计，旅游可以自定路线，穿衣服可以自己设计，使用手机可以定铃声……如今，在城镇居民的生活中，定制，正逐渐成为一种新的消费模式。

一些商业专家指出，这种越来越明显的趋势，既是一种新的消费现象，也蕴含着深刻的经济背景，它将引发传统产销模式的重大变革。

读后问题 定制这种消费模式会带来什么影响？

“定制生活”预示着个性化消费时代的到来

大工业时代产生了标准化经济，批量生产降低了成本，同时也制造了“千人一面”。“定制生活”的兴起，预示着个性化消费时代的到来。

26岁的重庆女性张安琦在准备结婚礼服时，首先想到的是，以前参加朋友婚礼时，遇上一家酒店同时有几对新人办婚礼，几位新娘居然穿着同样礼服的情景，她决定要自己定制礼服。婚礼上，张安琦独特的着装，吸引了众多参加婚礼朋友们的目光。

记者走访了重庆几家大卖场，一家卖场负责人说：“今年的钻戒定制消费，比去年同期增长了一倍多。”在重庆刚刚结束的房交会上，不少家具商也表示，现在自己绘制草图来定制家具的客人也越来越多了。

一些专家指出，“量身定制”这种在上世纪末初露端倪的消费方式，如今正在加速进入人们的生活。所涉及的商品从日常的消费品，扩展到住房、汽车等重量级消费品，参与的人群从过去的以年轻人为主，演变为涵盖老中青各个年龄段。

读后问题 为什么说“定制正在加速进入人们的生活”？

“定制生活”蕴含深刻的经济背景

专家们预测，随着经济发展和社会进步，“定制生活”这种新趋势将会更加明显。改革开放的深入发展，带来了人们独立性、选择性、多变性和差异性的增强。而“定制生活”正是在这种广阔的社会背景下衍生出的新现象。

网络经济的推动，也为“定制生活”提供了有利的条件。最近几年，网上购物渐成气候。厂商只需在网上出样，消费者一旦选中某种商品，输入自己的相关数据，比如家具的长宽高，服装的胸围、腰围、袖长等，食品的口味，并且确定交易方式、支付方式，一件量身定制的商品就会如期而至。网络经济降低了定制的成本，这是“定制生活”能够走入普通百姓家庭的一个重要原因。

读后问题 产生“定制生活”的背景是什么？

“定制生活”催生产销模式新变革

“定制”这种新的生活方式，改变了生产者和消费者的传统关系，带来的是产销模式的新变革。

重庆市社科院社会学所所长孙元明认为，“定制生活”衍生出的是一种与以往以生产方式为中心的经济有着本质不同的新经济，而这种以生活方式为中心的“定制经济”商机无限。

工业化时代的大批量生产，将同样的产品卖给不同的顾客，“定制经济”则要求生产者针对不同顾客的个性需求而生产出不同的产品。国务院发展研究中心的一位专家这样分析。

越来越多的国内企业也加入到了定制的行列。一个成功的例子，就是海尔的“定制冰箱”。这家企业曾经在短短一个月时间内，拿到100多万台定制冰箱订单，创造了市场奇迹。

权威调查显示，目前我国车市已有近50%的消费者是二次购车，汽车市场正在快步走向成熟；汽车消费需求已由“一窝蜂”的跟风式向多元化发展。今年车市将走向细分，定制化生产和订单式销售将逐渐成为汽车业主流营销趋势。

一些专家提出，“定制经济”满足了消费者个性化需求，有效地避免了厂家的盲目生产，同时也节约了社会资源。这是一件应该鼓励的大好事。

读后问题 “定制经济”具有什么积极意义？

（《新华日报》2006年7月18日，作者 万一、朱薇）

新闻词语、句式

一 新闻词语

1. **房交会** 房屋交易会。
2. **车市** 汽车市场。
3. **指出/说/表示/预测/认为/显示/提出** 显示信息来源。

二 新闻句式

1. **长定语句**

（1）婚礼上，张安琦独特的着装，吸引了众多参加婚礼朋友们的目光。

(2) 现在自己绘制草图来定制家具的客人也越来越多了。

(3) 而“定制生活”正是在这种广阔的社会背景下衍生出的新现象。

(4) “定制生活”衍生出的是一种与以往以生产方式为中心的经济有着本质不同的新经济，而这种以生活方式为中心的“定制经济”商机无限。

2. 并列项句

(1) 结婚可以定婚纱，买房可以定设计，旅游可以自定路线，穿衣服可以自己设计，使用手机可以定铃声……如今，在城镇居民的生活中，定制，正逐渐成为一种新的消费模式。

(2) 改革开放的深入发展，带来了人们独立性、选择性、多变性和差异性的增强。(也是长定语句)

(3) 厂商只需在网上出样，消费者一旦选中某种商品，输入自己的相关数据，比如家具的长宽高，服装的胸围、腰围、袖长等，食品的口味，并且确定交易方式、支付方式，一件量身定制的商品就会如期而至。

(4) “定制经济”满足了消费者个性化需求，有效地避免了厂家的盲目生产，同时也节约了社会资源。

3. 同位语句

(1) 26岁的重庆女性张安琦在准备结婚礼服时，首先想到的是……

(2) “量身定制”这种在上世纪末初露端倪的消费方式，如今正在加速进入人们的生活。

(3) 专家们预测，随着经济发展和社会进步，“定制生活”这种新趋势将会更加明显。

(4) “定制”这种新的生活方式，改变了生产者和消费者的传统关系，带来的是产销模式的新变革。

(5) 重庆市社科院社会学所所长孙元明认为……

成 语

1. 千人一面	qiān rén yí miàn	所有人的面目都一个样子。
2. 初露端倪	chū lù duānní	刚刚露出一点儿眉目。

生词

1. 定制	dìngzhì	（动/区）	根据不同要求定做
2. 催生	cuīshēng	（动）	加速
3. 产销	chǎnxiāo	（名）	生产和销售
4. 模式	móshì	（名）	使人可以照着做的式样
5. 变革	biàngé	（动）	变化革新
6. 婚纱	hūnshā	（名）	结婚时新娘穿的一种衣服
7. 蕴含	yùnhán	（动）	蕴藏包含
8. 引发	yǐnfā	（动）	引起
9. 预示	yùshì	（动）	预先显示
10. 批量	pīliàng	（副）	成批地
11. 成本	chéngběn	（名）	生产产品所需要的费用
12. 兴起	xīngqǐ	（动）	开始出现并兴盛起来
13. 礼服	lǐfú	（名）	在仪式等场合穿的衣服
14. 居然	jūrán	（副）	没想到
15. 着装	zhuózhuāng	（名）	穿衣服
16. 走访	zǒufǎng	（动）	访问
17. 卖场	màichǎng	（名）	一种商店
18. 钻戒	zuànjiè	（名）	钻石戒指
19. 绘制	huìzhì	（动）	画出来
20. 草图	cǎotú	（名）	初步画出的设计图
21. 加速	jiāsù	（动）	加快速度
22. 演变	yǎnbiàn	（动）	发展变化
23. 涵盖	hángài	（动）	包括
24. 衍生	yǎnshēng	（动）	演变发生
25. 出样	chū yàng	（动）	拿出样板
26. 一旦	yídàn	（连）	将来如果
27. 选中	xuǎnzhòng	（动）	选择出来
28. 输入	shūrù	（动）	（常用电脑键盘）打进去
29. 数据	shùjù	（名）	数值

30. 胸围	xiōngwéi	（名）	绕胸部一周的长度
31. 腰围	yāowéi	（名）	绕腰部一周的长度
32. 袖长	xiùcháng	（名）	袖子的长度
33. 交易	jiāoyì	（动）	买卖商品
34. 支付	zhīfù	（动）	付出钱
35. 本质	běnzhì	（名）	事物的根本性质
36. 商机	shāngjī	（名）	商业的机会
37. 无限	wúxiàn	（形）	没有限量
38. 针对	zhēnduì	（动）	对着
39. 行列	hángliè	（名）	一定的范围
40. 订单	dìngdān	（名）	订货的单子
41. 奇迹	qíjì	（名）	不平常的事情
42. 权威	quánwēi	（形/名）	使人信服的；使人信服的力量
43. 快步	kuàibù	（副）	快速地
44. 细分	xìfēn	（动）	具体地分
45. 营销	yíngxiāo	（动）	经营销售

一、根据课文内容简单回答下列问题

1. “结婚可以定婚纱，买房可以定设计，旅游可以自定路线，穿衣服可以自己设计，使用手机可以定铃声……”，你能再说出几样吗？
2. “量身定制”这种消费方式是从什么时候开始的？
3. 参与的人群过去主要是什么人？
4. 改革开放带来了什么影响？
5. 网络经济对定制有什么影响？
6. 海尔的“定制冰箱”你认为可能是什么样的？

二、解释画线词语，理解句子的意思

1. 大工业时代产生了标准化经济，批量生产降低了成本，同时也制造了“千人一面”。

　　千人一面：

2. 一些专家指出，“量身定制”这种在上世纪末初露端倪的消费方式，如今正在加速进入人们的生活。

　　量身定制：　　　　　　　　　　　　初露端倪：

3. 所涉及的商品从日常的消费品，扩展到住房、汽车等重量级消费品。

　　重量级：

4. 最近几年，网上购物渐成气候。

　　渐成气候：

5. 厂商只需在网上出样，消费者一旦选中某种商品，输入自己的相关数据，比如……，并且确定交易方式、支付方式，一件量身定制的商品就会如期而至。

　　如期而至：

6. 汽车消费需求已由“一窝蜂”的跟风式向多元化发展。

　　“一窝蜂”的跟风式：

三、问一下你的同桌，他（她）在哪些方面有“定制生活”的要求

____

____

四、照例子写出下列动词更多的宾语

1. 定制婚纱　　定制______　　定制______　　定制______
2. 确定交易方式　　确定______　　确定______　　确定______
3. 创造了市场奇迹　　创造了______　　创造了______　　创造了______
4. 降低成本　　降低______　　降低______　　降低______

五、选择句子后括号内的词语填进句子内

1. 这种越来越明显的趋势，既（　　）一种新的消费现象，也（　　）着深刻的经济背景，它将（　　）传统产销模式的重大变革。（引发　是　蕴含）

2.“定制生活”的（　　），预示着个性化消费时代的（　　）。（到来　兴起）

3. 大工业时代（　　）了标准化经济，批量生产（　　）了成本，同时也（　　）了“千人一面”。（降低　制造　产生）

4. 所涉及的商品从日常的消费品，（　　）到住房、汽车等重量级消费品，参与的人群从过去的以年轻人为主，（　　）为涵盖老中青各个年龄段。

（演变　扩展）

5.“定制”这种新的生活方式，（　　）了生产者和消费者的传统关系，（　　）的是产销模式的新变革。（带来　改变）

6.“定制经济”（　　）了消费者个性化需求，有效地（　　）了厂家的盲目生产，同时也（　　）了社会资源。（节约　避免　满足）

六、用下列词语组成完整的句子

1. A. 快步　B 市场　C. 成熟　D. 走向　E. 正在　F. 汽车

句子 ______________________________

2. A. 进入　B. 加速　C.“量身定制”　D. 生活　E. 人们的　F. 正在

句子 ______________________________

3. A. 标准化经济　B. 有着　C. 不同　D. 定制经济　E. 本质　F. 与

句子 ______________________________

4. A. 走访　B. 记者　C. 大卖场　D. 重庆　E. 几家　F. 了

句子 ______________________________

5. A. 钻戒定制消费　B. 去年同期　C. 今年的　D. 一倍多　E. 增长了　F. 比

句子 ______________________________

6. A. 成本　B. 定制　C. 网络经济　D. 的　E. 降低　F. 了

句子 ______________________________

7. A. 同样的产品　B. 不同的顾客　C. 卖　D. 大批量生产

E. 将　F. 给

句子 ______

8. A. 加入　B. 国内企业　C. 行列　D. 越来越多的　E. 到了
F. 定制的

句子 ______

9. A. 成为　B. 定制　C. 消费模式　D. 逐渐　E. 新的　F. 正
G. 一种

句子 ______

10. A. 自己　B. 家具　C. 许多客人　D. 草图　E. 定制
F. 绘制　G. 来

句子 ______

七、请用下列句子组成一段话，并标出标点符号

1. 句子

A. 几位新娘居然穿着同样礼服的情景

B. 婚礼上，张安琦独特的着装，吸引了众多参加婚礼的朋友们的目光

C. 以前参加朋友婚礼时，遇上一家酒店同时有几对新人办婚礼

D. 她决定要自己定制礼服

E. 26 岁的重庆女性张安琦在准备结婚礼服时，首先想到的是

语段 ______

______

2. 句子

A. 输入自己的相关数据

B. 一件量身定制的商品就会如期而至

C. 厂商只需在网上出样

D. 最近几年，网上购物渐成气候

E. 消费者一旦选中某种商品

F. 并且确定交易方式、支付方式

G. 比如家具的长宽高，服装的胸围、腰围、袖长等，食品的口味

语段 ______________________________

____

3. 句子

A. 专业的设计师根据顾客的要求设计款式，并精心裁剪

B. 相比以前的裁缝店，定制服装店掺（chān）入了更多的设计元素

C. 服装定制不仅是做一件或几套服装

D. 服装定制为什么没有被成衣革命所消灭

E. 定做服装的过程本身就是一种满足自我、体验人生的过程

F. 最根本的是它满足了人们对审美独特性的需求

G. 而这也是和以前裁缝店的主要区别

语段 ______________________________

____

课文二

读前准备

给下列句子中画线的词语选择一个恰当的解释

1. 如今，长春市的一些大型服装零售商场正在悄然兴起一股量体定制风。

   量体定制风：A. 量体定制的潮流　　　B. 量体定制的风俗

2. 但在以往，找到一件适合自己的衣服确实很难。不是款式不符合要求，就是颜色看起来不顺眼。

   顺眼：　　A. 看着舒服　　　B. 看着难受

3. 量体定制实施起来非常烦琐（suǒ）。首先，每个专柜要设有专业的着装顾问。针对每个顾客的身份、肤色、体形等特征，进行着装指引，并结合顾客的要求，选好面料、定好款型及其他方面的细节。然后，工艺师核对相关数据，用纸板打出纸样，进行面料的裁剪，经特殊工艺制成服装毛坯（pī）。

   烦琐：　　A. 简单　　　B. 复杂

指引：　A. 指导　　B. 指出
款型：　A. 式样　　B. 大小
毛坯：　A. 成品　　B. 半成品

4. 许多知名品牌及时把握了这一消费新特点，推出了内容不同的定制服务方式，满足了消费者的个性化需求，也使商家在商品热销中获得不菲的收益。

把握：　A. 抓住　　B. 没有抓住
不菲：　A. 很少　　B. 不少

满足消费个性化需求
服装零售量体定制

读前问题　在量体定制以前，顾客买衣服有什么烦恼？

如今，长春市的一些大型服装零售商场正在悄然兴起一股量体定制风，让许多消费者摆脱了为找到一件适合自己的衣服而要逛上几天街，试穿几十件衣服的烦恼。很多服装生产厂家也认为，与其让那些摆在货架上的衣服卖不出去，不如为顾客量体定制。

读前问题　消费者对服装有什么要求？厂家是怎么做的呢？

随着生活水平的提高，人们越来越强调着装的质量和品位。正如一句时髦话所说：适合自己的才是最好的。但在以往，找到一件适合自己的衣服确实很难。不是款式不符合要求，就是颜色看起来不顺眼。李小姐告诉记者："如果在商场找不到适合自己的衣服，我一般会自己买布料去裁缝店做成衣，但做工、款式都和厂家生产出来的服装存在差距。"

消费者对服饰个性化需求的日益关注，引起了服装厂家的重视。一些厂家开始尝试实施更能满足消费需求的量体定制服务。

在长春某品牌服装专柜前，记者随机采访了一位等候量体的王先生，王先生告诉记者："我想买一套西服，厂商提供的量体定制服务，使选购西服更适合我的需求。"据商业人士分析，这种量体定制的潮流最近在长春市兴起，主要集中在高档服饰，特别是西装，价格也从几千元到上万元不等。

服装的量体定制活动，受到了消费者的普遍认可。那么，厂商怎样才能做好这项工作呢？记者采访了某服装品牌长春地区总代理李晓雷经理。

李经理告诉记者："量体定制实施起来非常烦琐。首先，每个专柜要设有专业的着装顾问。针对每个顾客的身份、肤色、体形等特征，进行着装指引，并结合顾客的要求，选好面料、定好款型及其他方面的细节。然后，工艺师核对相关数据，用纸板打出纸样，进行面料的裁剪，经特殊工艺制成服装毛坯。随后，顾客试穿并据此再做修整，出半成品。经过道道程序后，最后通知顾客取货。"

读前问题 商品定制具有什么作用？

消费者对个性化消费的需求，促使商品定制时代的到来。有的消费者购买手机后，会到手机美容店换壳、加外饰；有的消费者购车后，会为爱车重新漆色、布置内饰或进行改装。长春百货大楼的王金城经理告诉记者，定制，对于整个产销体系都是一场革命。这不仅仅是简单的服务升级，而是真正实现"我消费我做主"的一种全新购物方式。

定制也使厂家改变了以往单一、大批量的生产方式，小批量、多品种的定量生产方式渐渐流行。许多知名品牌及时把握了这一消费新特点，推出了内容不同的定制服务方式，满足了消费者的个性化需求，也使商家在商品热销中获得不菲的收益。

（东北网 www.northeast.cn
2006 年 1 月 23 日，记者 王子阳）

读后分析讨论

一、根据课文判断正误

1. 货架上的衣服都卖不出去。（ ）
2. 裁缝店做的衣服比厂家生产出来的服装质量差。（ ）
3. 只有高档服装才会量体定制。（ ）
4. 量体定制主要有三道程序。（ ）
5. 定制改变了原来的产销体系。（ ）

二、找出课文中三个以上长定语句

____

____

三、请说一说你的一项个性化消费要求，你是怎样实现这一要求的

____

____

单元复习二

一 判断所给词语放在句中哪个位置上最恰当

1. A他往往B忙起来就C错过了D就餐时间。 （ ）
   一
2. 让背景相似A和有共同兴趣B的人聚集C,促进了人际的沟通D和交流。 （ ）
   起来
3. 每次存钱的时候A，都会很有成就感B，好像C安全感又多D几分。 （ ）
   了
4. 为了达到一个新目标，A你B必须不断进步C求D发展。 （ ）
   以
5. 写博客、回博客A已经成为现代人，特别是“新新人类”生活B的重要C内容D。 （ ）
   中
6. A与民沟通的新渠道,B两会博客为人们C参政议政提供了D新的平台。 （ ）
   作为
7. 播客的工作就A是把内容的B发布、展示、C浏览D放在一个平台上。 （ ）
   完全
8. 今年的钻戒定制消费，比A去年同期增长了B一C倍D。 （ ）
   多
9. 工业化时代的大批量生产，A同样的产品B卖C给D不同的顾客。 （ ）
   将
10. 随着生活水平A的提高，B人们C强调着装的质量和品位D。 （ ）
    越来越

二 选择恰当的词语填空

1. （ ）点了几个菜（ ）是大家AA制，个人负担不重，每天品尝不同的菜式，又热热闹闹地打发了时间。

   A. 因为……所以…… B. 不管……都……

C. 即使……也…… D. 不仅……而且……

2. 以前因为工作要求，经常一个人打的上班，在（ ）住在附近的同事拼车后，节约了40%的交通费。

A. 自 B. 从 C. 及 D. 与

3. 对蜗居在高楼大厦中的城市精英来说，（ ）每天都能在电梯里相遇，（ ）很难给彼此一个深入交谈的借口。

A. 不是……就是…… B. 不仅……而且……
C. 如果……那么…… D. 即使……也……

4. 如果你一点儿储蓄都没有，（ ）工作发生了变动，你将会是非常被动的。

A. 一旦 B. 虽然 C. 由于 D. 至于

5. 博客是一种网络日记，（ ）可以记录生活中的经历和感受，（ ）可以发表观点、与人交流。

A. 连……都…… B. 要么……要么……
C. 虽然……但是…… D. 既……也……

6. 作为一种新型的网络交流方式，政府部门正在谨慎地利用博客，将其作为表达民意、上下沟通的一种方式。最成功的例子，（ ）今年全国“两会”期间人民网率先开通的“两会博客”。

A. 应该 B. 当数 C. 应当 D. 必须

7. 现在，国内已经拥有总共900多节目数的中文播客，涉及70多（ ）频道。

A. 家 B. 张 C. 条 D. 块

8. 网络播客不会有长相、身高等一些客观条件的限制，（ ）喜欢这个工作并努力把它做好就行了，还很时尚很轻松。

A. 不管 B. 只是 C. 只要 D. 只有

9. 网络经济的推动，（ ）“定制生活”提供了有利的条件。

A. 为了 B. 为 C. 把 D. 由

10. 消费者（ ）服饰个性化需求的日益关注，引起了服装厂家的重视。

A. 将 B. 使 C. 对 D. 向

三 选择与画线词语意思最接近的解释

1. 用比公交多一点儿的费用享受小车的潇洒，“拼车”与买车、坐公交相比，实惠方便得多。

A. 难受　B. 快乐　C. 大方　D. 小气

2.“拼”不是因为“吝啬”，而是对生活有着更深刻、更健康的理解。

A. 富有　B. 穷　C. 大方　D. 小气

3. 现在很多公司动辄减薪裁员。如果你一点儿储蓄都没有，一旦工作发生了变动，你将会是非常被动的。

A. 动不动就　B. 难得　C. 难免　D. 难受

4. 去年新浪打出的“名人博客”专栏，旨在吸引广大网友的注意力。

A. 意义在于　B. 结果在于　C. 原因在于　D. 目的在于

5. 正因其“零壁垒”、乏约束，博客中难免潜伏着一些丑陋的东西，诸如信口开河甚至污言秽语，都造成了极为恶劣的影响。

A. 随便乱说　B. 顺便说　C. 方便说　D. 便于说

6. 业内人士分析，随着宽带用户的普及，包括播客在内的国内宽带娱乐业将会酝酿一次新的爆炸式增长。这将为网络播客的发展带来新的机遇。

A. 机智　B. 机制　C. 机会　D. 机密

7. 虽然到现在为止，网站基本上还没有赢利，但是它的创始人坚信，网络播客的前景将一片光明。

A. 可能相信　B. 比较相信　C. 有点相信　D. 坚决相信

8. 一些专家指出，“量身定制”这种在上世纪末初露端倪的消费方式，如今正在加速进入人们的生活。

A. 刚结束　B. 刚出现　C. 已经流行　D. 已经结束

9. 所涉及的商品从日常的消费品，扩展到住房、汽车等重量级消费品，参与的人群从过去的以年轻人为主，演变为涵盖老中青各个年龄段。

A. 包裹　B. 包括　C. 包涵　D. 包办

10.“定制生活”衍生出的是一种与以往以生产方式为中心的经济有着本质不同的新经济。

A. 演变产生　B. 生产　C. 生活　D. 生存

四　快速阅读各段文字，根据内容选择问题的唯一恰当的答案

1. 剩下的这部分钱，约占收入的三分之一。可以根据自己当时的生活目标，侧重地花在不同的地方。譬如五一、十一可以安排自己旅游；服装打折时可以购进自己心仪已久的牌子货；还有平时必不可少的购买CD、朋友聚会

的开销。这样花起来心里有数，不会一下子把钱都用完。

剩下的这部分钱怎么花？

A. 购买CD、朋友聚会的开销

B. 服装打折时购进自己心仪已久的牌子货

C. 五一、十一安排自己旅游

D. 根据自己当时的生活目标，侧重地花在不同的地方

2. 小马他们几个人现在进行的活动纯粹是一种满足个人爱好的非商业行为。他告诉记者，他们经常随身带着DV机，碰到有趣的事情就随时记录下来，这样他们就可以给各位网友提供图文并茂的、极具现场感和冲击力的播客新闻。其实，播客还可以录制网络声讯节目，网友可将网上的广播节目下载到MP3播放器中随身收听；网友还可以自己制作声音节目，并将其上传到网上与广大网友分享。任何人都可以通过网页、RSS等途径来订阅、下载别人的“播客服务”，商业的价值也在高点击率下显现出来。

(1) 这段文字的主要内容是什么？

A. 介绍播客的内容　　B. 介绍播客的发展

C. 介绍播客的历史　　D. 对播客进行评价

(2) 播客有没有商业价值？

A. 没有　　B. 可能没有　　C. 可能有　　D. 有

3. 量体定制实施起来非常烦琐。首先，每个专柜要设有专业的着装顾问。针对每个顾客的身份、肤色、体形等特征，进行着装指引，并结合顾客的要求，选好面料、定好款型及其他方面的细节。然后，工艺师核对相关数据，用纸板打出纸样，进行面料的裁剪，经特殊工艺制成服装毛坯。随后，顾客试穿并据此再做修整，出半成品。经过道道程序后，最后通知顾客取货。

(1) 这段文字的主要内容是什么？

A. 量体定制的程序　　B. 量体定制的作用

C. 量体定制的坏处　　D. 量体定制的好处

(2) 下面哪一项不属于服装工艺师的工作？

A. 用纸板打出纸样　　B. 进行面料的裁剪

C. 经特殊工艺制成服装毛坯　　D. 选好面料

4. 黄慧近来一下班就回家上网，不上MSN聊天，也不发e-mail，而是录制自

己想说的话，而后放进播客网上，她的朋友们就能在各地上网“收听”到这段录音。

黄慧近来干什么？

A. 上 MSN 聊天

B. 录制自己想说的话

C. 而后放进播客网上

D. 录制自己想说的话，而后放进播客网上

5. 刘先生是刚毕业的大学生，毕业之后租房成了困扰他最大的难题。单位附近有很多不错的房子，就是房租太高了，两房一厅一卫的房子每个月要1000元，而他的工资每月才两千多，最后他找到了同事毕先生，两人合租，每人只要500元。他说，合租的方式既解决了住房需要又解决了经济困扰，而且两人一起住需要时可以互相照应，对彼此都很有好处。

刘先生觉得跟别人合租房有什么好处？

A. 能解决住房需要　　B. 能解决经济困扰

C. 需要时能互相照应　　D. 把以上内容加在一起

五　根据各段文字上下文的意思，选择唯一恰当的词语填空

1. 首先，拿出每个月必须支付的生活费。__(1)__房租、水电、通讯费、柴米油盐等，这部分约__(2)__收入三分之一。它们是你生活中不可或缺的__(3)__，满足你最基本的物质需求。离开了它们，你__(4)__会像鱼儿离开了水一样无法生活，所以__(5)__，请你先从收入中抽出这部分，不要动用。

(1) A. 不如　B. 假如　C. 如果　D. 如

(2) A. 站　B. 占　C. 沾　D. 战

(3) A. 整体　B. 全部　C. 部分　D. 分部

(4) A. 不　B. 别　C. 就　D. 都

(5) A. 不管　B. 无论　C. 不论　D. 无论如何

2. 一位从事网络播客主持人的吴小姐告诉记者，她的月收入大概在5000元__(1)__，如果自己的节目点击率高的话，还可以__(2)__得到一些奖金，对于这份工作她很满意。她认为，网络播客不__(3)__有长相、身高等一些客观条件的限制，只要喜欢这个工作__(4)__努力把它做好就行了，还很时尚很轻松。

（1）A. 前后　　B. 上下　　C. 左右　　D. 里外

（2）A. 少　　B. 多了　　C. 能　　D. 额外

（3）A. 要　　B. 会　　C. 必须　　D. 应该

（4）A. 并　　B. 和　　C. 与　　D. 跟

3. 在北京西单商场鞋帽部工作了 20 多年的陈师傅说，定做鞋完全＿（1）＿个人需求，非常合脚、舒适，＿（2）＿款式独特，开展这项服务＿（3）＿顾客越来越多。一些商家还推出了体现个性的油画、DVD、VCD 等商品的定做，生意＿（4）＿不错。北京另一家大型百货商场推出了免费的“服饰搭配”服务，这项服务主要是＿（5）＿个人的身材、气质等，＿（6）＿顾客提供服装色彩、服饰等方面的专业搭配指导。

（1）A. 从　　B. 给　　C. 由于　　D. 针对

（2）A. 也　　B. 但是　　C. 而且　　D. 因此

（3）A. 以来　　B. 以前　　C. 以往　　D. 以外

（4）A. 又　　B. 都　　C. 再　　D. 太

（5）A. 由　　B. 根据　　C. 依靠　　D. 凭

（6）A. 为　　B. 为了　　C. 在　　D. 从

六　根据上下文的意思，在括号内填写一个恰当的汉字

1. 做销售的唐媛家住梅林，可她的工作地点却在水贝，平时一个人打车上班挺不划（　　）的，偶然一次在都市客上看到新开了一个专（　　）“拼车”的版，便抱着试试看的心态发了一个征（　　）的帖子，没想到很快就有人（　　）应她，于是两个大男生和一个女孩子的“三人拼车队”就这样拼搭成（　　）了。第一次“拼车”的经（　　）非常成功，三个人在不同的地方上车，出租车到达的时间和事（　　）约定的时间非常吻（　　），一趟车打下来，每个人才十块钱左右。

2. 近日，央视《全球资讯榜》节目报道了一条消（　　）：6 月 2 日，中国第一个“千万草根博客”在新浪网诞（　　）了。所谓“草根”即写博者并非名人而是普（　　）平民。这家名为“极地阳光”的博客，自今年 3 月 7 日开博以来，不到三个月的时间里，点击（　　）就超过了一千万，（　　）起了巨大的关注。

3. 大工业时代产（　　）了标准化经济，批量生产降（　　）了成本，同时也制（　　）了“千人一面”。

第七课

从巴菲特巨额慈善捐款说起

（慈善—捐款·随笔）

课文一

【教与学的提示】

话题背景

76岁的巴菲特是美国伯克希尔·哈撒韦公司董事长兼首席执行官。据《福布斯》杂志统计，他拥有大约440亿美元的财富，在全球富豪排行榜中名列第二。巴菲特在伯克希尔公司中拥有31%的股份，在他的捐献计划完成后，其股份将减至5%。而这剩下的5%股份，他也决定要在死后捐给慈善事业。

体　裁

本文的体裁是随笔。

语篇分析

本文分四个部分。

第一部分（第一段）为引子，概括地说明巴菲特的捐款决定。

第二部分（第二至第四段）说明巴菲特捐款的目的。

第三部分（第五至第十段）分析美国的慈善文化。

第四部分（第十一段）指出美国社会也有一些不捐款的富翁。

从巴菲特巨额慈善捐款说起

新华网华盛顿6月26日电（新华社记者　刘洪）26日，世界第二大富豪、美国投资家沃伦·巴菲特在纽约公共图书馆签署捐款意向书，正式决定向5个慈善基金会捐出其财富的85%，约合375亿美元。这是美国和世界历史上最大一笔慈善捐款。

读后问题　捐款意向书的内容是什么？

巴菲特准备将捐款中的绝大部分、约300亿美元捐给世界首富比尔·盖茨及其妻子建立的“比尔与梅琳达·盖茨基金会”。而就在不久前，盖茨宣布他将在今后两年内淡出微软公司日常事务，以便把主要精力用在卫生及教育慈善事业上。盖茨夫妇已为他们的基金会捐赠近399亿美元，用于贫困国家的卫生和教育事业。

“我不是对王朝财富的热衷者，特别是当世界上60亿人还比我们穷得多的时候，”巴菲特这样评价自己的义举。比尔·盖茨则在旁边点头微笑。

从当年的美国“石油大王”洛克菲勒和“钢铁大王”卡内基，到当代的盖茨和巴菲特，在美国，关心慈善事业，捐献大笔善款，早已成为富豪们义不容辞的一项义务。正如盖茨本人曾说的，巨额财富对他来讲，“不仅是巨大的权利，也是巨大的义务”。

读后问题　巴菲特是怎样评价自己的义举的？

如何用好财富，也成为富豪们的一项责任。他们热心慈善事业的义举，背后则是社会文化的影响。

首先，在美国富豪中，慈善是一种传统。对于富豪们来说，当财富累积到一定程度，财富本身也就只剩下一个数字。与其守着这个数字，还不如让这个数字发挥更大的作用。许多富豪认同卡内基的名言：“在巨富中死去，是一种耻辱。”他们都把回馈社会、帮助穷人作为自己的一项义务和道德要求。

其次，富豪们更看重积极奋斗的精神。对于这次捐出大笔财产，巴菲特就表示，他的子女们并没有感到失望。因为对许多美国人来说，他们更看重积极奋斗，白手起家，经历失败和成功。即使是亿万富翁的子女，许多人并不看重家族的财富，他们年轻时仍喜欢靠自己打工挣钱来赚取生活费。

再次，国家和社会的鼓励机制。在美国，政府对超过一定限额的遗产要征收遗产税，对于富豪捐助慈善事业，则有一定的税收减免政策。而从社会层面来讲，为慈善事业捐助所带来的美誉度，也鼓励更多富豪向慈善事业慷慨解囊。

因此，2001年当布什总统签署旨在逐步削减并最终废除遗产税的法案时，作为最大"受益者"的富豪们反而予以最强烈的反对。包括盖茨父亲老威廉、巴菲特等在内的120名美国大富豪联名在《纽约时报》上刊登广告："请对我们征税。"

富豪们指出，取消遗产税将使美国百万富翁、亿万富翁的孩子不劳而获，使富人永远富有，穷人永远贫穷，这将伤害穷人家庭和社会的平衡。

读后问题 美国的社会文化是什么？

当然，并不是每一个富豪都有慈善之心。对于盖茨热心慈善事业的义举，有美国人曾这样评价："他将让那些醉心于购买飞机、游艇、豪宅供个人享乐的暴发户们汗颜。"而巴菲特26日在签署捐款意向书时也说，他希望自己的举动，能带动更多的富豪为慈善事业慷慨捐献。

读后问题 巴菲特提出什么希望？

（新华网 www. xinhuanet. com
2006年6月27日，记者 刘洪）

新闻句式

1. 长定语句

（1）巴菲特准备将捐款中的绝大部分、约300亿美元捐给世界首富比尔·盖茨及其妻子建立的"比尔与梅琳达·盖茨基金会"。

（2）我不是对王朝财富的热衷者，特别是当世界上60亿人还比我们穷得多的时候。

（3）在美国，关心慈善事业，捐献大笔善款，早已成为富豪们义不容辞的一项义务。

（4）他们热心慈善事业的义举，背后则是社会文化的影响。

（5）在美国，政府对超过一定限额的遗产要征收遗产税。

（6）而从社会层面来讲，为慈善事业捐助所带来的美誉度，也鼓励更多富豪向慈善事业慷慨解囊。

（7）2001年当布什总统签署旨在逐步削减并最终废除遗产税的法案时，作为最大"受益者"的富豪们反而予以最强烈的反对。

（8）包括盖茨父亲老威廉、巴菲特等在内的120名美国大富豪联名在《纽约时报》上刊登广告："请对我们征税。"

（9）他将让那些醉心于购买飞机、游艇、豪宅供个人享乐的暴发户们汗颜。

2. **并列项句**

（1）对于这次捐出大笔财产，巴菲特就表示，他的子女们并没有感到失望。因为对许多美国人来说，他们更看重积极奋斗，白手起家，经历失败和成功。

（2）他将让那些醉心于购买飞机、游艇、豪宅供个人享乐的暴发户们汗颜。

3. **同位语句**

（1）世界第二大富豪、美国投资家沃伦·巴菲特在纽约公共图书馆签署捐款意向书。

（2）巴菲特准备将捐款中的绝大部分、约300亿美元捐给世界首富比尔·盖茨及其妻子建立的“比尔与梅琳达·盖茨基金会”。

（3）从当年的美国“石油大王”洛克菲勒和“钢铁大王”卡内基，到当代的盖茨和巴菲特，在美国，关心慈善事业，捐献大笔善款，早已成为富豪们义不容辞的一项义务。

（4）包括盖茨父亲老威廉、巴菲特等在内的120名美国大富豪联名在《纽约时报》上刊登广告：“请对我们征税。”

成语

1. 义不容辞	yì bù róng cí	道义上不允许推辞。
2. 白手起家	bái shǒu qǐ jiā	形容原来没有基础或条件而创立起一番事业。
3. 慷慨解囊	kāngkǎi jiě náng	毫不吝啬地拿出钱来帮助别人。
4. 不劳而获	bù láo ér huò	自己不劳动而取得别人劳动的成果。

生词

1. 富豪	fùháo	（名）	很富的人
2. 签署	qiānshǔ	（动）	在文件上签字
3. 捐款	juānkuǎn	（动/名）	把钱给别人；捐给别人的钱
4. 意向书	yìxiàngshū	（名）	表明双方意向的文书

5. 慈善	císhàn	（形）	有同情心
6. 基金会	jījīnhuì	（名）	管理基金使用的机构
7. 财富	cáifù	（名）	具有价值的东西
8. 首富	shǒufù	（名）	第一富人
9. 淡出	dànchū	（动）	逐渐退出（某一领域、范围）
10. 事务	shìwù	（名）	事情
11. 精力	jīnglì	（名）	精神和体力
12. 捐赠	juānzèng	（动）	把自己的东西给别人
13. 王朝	wángcháo	（名）	王国
14. 热衷	rèzhōng	（动）	对某事热心
15. 义举	yìjǔ	（名）	为正义或公益而做的事情
16. 捐献	juānxiàn	（动）	把自己的东西拿出来给别人
17. 善款	shànkuǎn	（名）	用于慈善事业的钱
18. 巨额	jù'é	（区）	数量非常多的（钱）
19. 累积	lěijī	（动）	一点点增加
20. 守	shǒu	（动）	把住
21. 名言	míngyán	（名）	有名的话
22. 耻辱	chǐrǔ	（名）	可耻的事情
23. 回馈	huíkuì	（动）	得到财富以后回报
24. 看重	kànzhòng	（动）	重视
25. 富翁	fùwēng	（名）	很富的人
26. 赚取	zhuànqǔ	（动）	得到
27. 限额	xiàn'é	（名）	限定的数量
28. 遗产	yíchǎn	（名）	去世以后留下的财产
29. 征收	zhēngshōu	（动）	依法收取
30. 捐助	juānzhù	（动）	拿出自己的钱来帮助
31. 税收	shuìshōu	（名）	税务收入
32. 减免	jiǎnmiǎn	（动）	减少或免去
33. 美誉度	měiyùdù	（名）	好声誉的程度
34. 削减	xiāojiǎn	（动）	减少

35. 废除	fèichú	（动）	取消
36. 法案	fǎ'àn	（名）	供讨论的法律草案
37. 反而	fǎn'ér	（连）	相反
38. 予以	yǔyǐ	（动）	给予
39. 联名	liánmíng	（动）	联合签名
40. 刊登	kāndēng	（动）	在报刊上登出来
41. 醉心	zuìxīn	（动）	一心做（某事）
42. 游艇	yóutǐng	（名）	一种供游玩的船
43. 豪宅	háozhái	（名）	豪华的住宅
44. 暴发户	bàofāhù	（名）	突然富起来的人
45. 汗颜	hànyán	（动）	不好意思
46. 举动	jǔdòng	（名）	行动

练　习

一、根据课文内容简单回答下列问题

1. 盖茨在今后两年内淡出微软公司日常事务以后会做什么事情？
2. 富豪们为什么把回馈社会、帮助穷人作为自己的一项义务和道德要求？
3. 亿万富翁的子女们是怎么看待财富的？
4. 美国政府是怎么鼓励富豪捐助慈善事业的？
5. 美国大富豪们担心取消遗产税会出现什么情况？
6. 暴发户对哪些东西感兴趣？

二、盖茨本人曾说，巨额财富对他来讲，“不仅是巨大的权利，也是巨大的义务”。你是怎么理解盖茨这句话的？

三、对于卡内基的名言“在巨富中死去，是一种耻辱。”你是怎么理解的？

____

____

四、照例子写出下列动词更多的宾语

1. 签署意向书 签署______ 签署______ 签署______
2. 捐献善款 捐献______ 捐献______ 捐献______
3. 捐助穷人 捐助______ 捐助______ 捐助______
4. 感到失望 感到______ 感到______ 感到______

五、用所给词语组成完整的句子

1. A. 捐赠了 B. 盖茨夫妇 C. 近300亿 D. 基金会 E. 为 F. 美元

句子 ______________________________

2. A. 家族的财富 B. 看重 C. 不 D. 许多 E. 并 F. 人

句子 ______________________________

3. A. 遗产 B. 遗产税 C. 政府 D. 征收 E. 对 F. 要

句子 ______________________________

4. A. 富豪 B. 慈善事业 C. 政府 D. 慷慨解囊 E. 鼓励 F. 向

句子 ______________________________

5. A. 富豪 B. 每一个 C. 有 D. 慈善之心 E. 都 F. 并不是

句子 ______________________________

6. A. 积极奋斗 B. 精神 C. 的 D. 看重 E. 更 F. 富豪们

句子 ______________________________

7. A. 失望 B. 没有 C. 并 D. 子女们 E. 感到 F. 他 G. 的

句子 ______________________________

8. A. 喜欢 B. 打工挣钱 C. 靠自己 D. 他们 E. 生活费
F. 赚取 G. 来

句子 ______________________________

9. A. 微笑 B. 他 C. 旁边 D. 在 E. 点头 F. 我 G. 向

句子 ______________________________

10. A. 一项义务 B. 作为 C. 帮助穷人 D. 自己的 E. 把
F. 他们 G. 都

句子 ______________________________

六、请用所给的句子组成一段话，并标出标点符号

1. 句子

A. 还不如让这个数字发挥更大的作用
B. 对于富豪们来说，当财富累积到一定程度
C. 与其守着这个数字
D. 在美国富豪中，慈善是一种传统
E. 财富本身也就只剩下一个数字

语段 ______________________________

____

2. 句子

A. 他从小就极具投资意识
B. 11 岁时，他购买了平生第一张股票
C. 5 岁时，他在家中摆摊卖口香糖
D. 满肚子都是挣钱的道儿
E. 1930 年 8 月 30 日，巴菲特出生于美国内布拉斯加州奥马哈市

语段 ______________________________

____

3. 句子

A. 又向亲朋们凑了大约 10 万美元

B. 整天躲在家里埋头寻找廉价小股票，然后将其买进等待价格攀升

C. 巴菲特拿着自己的100美元

D. 不到一年，他就拥有了5家合伙人公司

E. 成立了“巴菲特有限公司”

F. 当了老板的他每天只做一件事

语段 ____

____

课文二

读前准备

选择对下列句子中画线词语的恰当解释

1. 据《福布斯》杂志统计，他拥有大约440亿美元的身家，在全球富豪排行榜中名列第二。

   身家：　A. 家庭　　B. 财富

2. “股神”的大手笔确实惊呆了很多人。就连盖茨也表示，对这个决定感到受宠若惊。

   大手笔：　A. 大动作　　B. 小动作

   受宠若惊：　A. 感到意外的惊喜　　B. 不感到吃惊

3. 美国各大媒体纷纷在第一时间报道此事，并不惜笔墨盛赞这一举措。

   不惜笔墨：　A. 舍不得花力气　　B. 舍得花力气

4. 这并非巴菲特第一次让世人惊讶，他的人生履历中从不缺乏“奇迹”。

   履历：　A. 经历　　B. 经验

5. 上中学时，他一边做报童，一边向理发店老板出租弹子球游戏机赚外快。

   报童：　A. 卖报纸的儿童　　B. 买报纸的儿童

   外快：　A. 钱　　B. 学习用品

6. 从宾夕法尼亚大学毕业后，巴菲特没有找到工作，回到家乡决心一试身手。

   一试身手：　A. 找工作　　B. 试一试自己的能力

7. 1962年，公司资本达到720万美元，其中属于他自己的有100万。巴菲特的

"狂言"实现了。

狂言：　A. 口气很大的话　　B. 口气不大的话

8. 虽然拥有巨额财富，巴菲特却过着十分简朴的生活，给世人留下"一毛不拔"的印象。

一毛不拔：　A. 非常大方　　B. 非常小气

9. 如果用美国大企业通常的标准来衡量，他从伯克希尔公司领取的10万美元年薪简直称得上寒酸。

寒酸：　A. 不体面　　B. 很体面

10. 他坦言，做慈善事业不会立竿见影，这让他感到烦心，他也不喜欢与很多人打交道。同时他深知，不管做什么事情，最顺理成章的做法就是找一个比自己更适合的人代劳。

坦言：　A. 坦率地说　　B. 小心地说

立竿见影：　A. 不会有效果　　B. 马上有效果

顺理成章：　A. 合理　　B. 不合理

身家数百亿生活简朴　一口气捐出八成财产

"股神"成世界最大慈善家

读前问题　巴菲特的这一捐款意味着什么？

世界第二富翁、"股神"沃伦·巴菲特25日宣布，将从下月起逐年把价值370亿美元、相当于其个人财富85%的股票捐给5家慈善基金会，其中5/6将由世界头号富翁比尔·盖茨的基金会获得，其余分给其家族的4个慈善基金会。巴菲特这一数额巨大的捐款使他超越卡内基、洛克菲勒、福特以及盖茨本人，成为有史以来出手最为慷慨的慈善家。

(一)

读前问题　巴菲特的举动产生了什么影响？

76岁的巴菲特是美国伯克希尔·哈撒韦公司董事长兼首席执行官。据《福布斯》杂志统计，他拥有大约440亿美元的身家，在全球富豪排行榜中名列第二。巴菲特在伯克希尔公司中拥有31%的股份，在他的捐献计划完成后，其股份将减至5%。而这剩下的5%股份，他也决定要在死后捐给慈善事业。他表示，将把手头的“不少现金”，留给自己的亲人。

巴菲特的惊人之举最早是在今年春天向美国《财富》杂志女编辑卢密斯透露的，当时，卢密斯的第一反应是问他：“你有病了吗？”巴菲特乐呵呵地告诉她：“绝对没有！我好得很呢。”“股神”的大手笔确实惊呆了很多人。就连盖茨也表示，对这个决定感到受宠若惊。美国各大媒体纷纷在第一时间报道此事，并不惜笔墨盛赞这一举措。《华盛顿邮报》称，在世界首富比尔·盖茨宣布要全身心投入慈善事业后，巴菲特再次向世界表明，慈善事业进入了一个与100多年前相似的黄金时代。上世纪初卡内基、洛克菲勒等美国著名实业家曾带动了现代慈善事业的第一次繁荣。《纽约时报》则指出，巴菲特的巨额捐献将使目前已拥有300亿美元的美琳达·盖茨基金会长期保持全球规模和影响最大的私人慈善机构的地位。

（二）

读前问题　巴菲特是怎么开始他的股票人生的？

这并非巴菲特第一次让世人惊讶，他的人生履历中从不缺乏“奇迹”。1930年8月30日，巴菲特出生于美国内布拉斯加州奥马哈市。他从小就极具投资意识，满肚子都是挣钱的道儿。5岁时，他在家中摆摊卖口香糖；稍大一点儿，他带着小伙伴到球场捡废弃高尔夫球再转手倒卖；上中学时，他一边做报童，一边向理发店老板出租弹子球游戏机赚外快；11岁时，他购买了平生第一张股票。

从宾夕法尼亚大学毕业后，巴菲特没有找到工作，回到家乡决心一试身手。有一天，他宣布自己要在30岁以前成为百万富翁，否则就从奥马哈最高的建筑物上跳下去。不久，他拿着自己的100美元，又向亲朋们凑了大约10万美元，成立了“巴菲特有限公司”。当了老板的巴菲特每天只做一件事——整天躲在家里埋头寻找廉价小股票，然后将其买进等待价格攀升。不到一年，他就拥有了5家合伙人公司。1962年，公司资本达到720万美元，其中属于他自己的有100万。巴菲特的“狂言”实现了。在接下来的几十年里，巴菲特凭着他谨慎、理性的个性和对股票、数字的天赋，在股市中不断买进卖出，终于成就了“股神”的形象。

（三）

读前问题　巴菲特是怎么生活的？

虽然拥有巨额财富，巴菲特却过着十分简朴的生活，给世人留下“一毛不拔”的印象。对他来说，工作是生命，食物和住所只是小事一桩。他至今都住在自己50多年前用3万多美元买下的房子里，开着他的蓝色“林肯”牌轿车，没有顾问也没有仆人。如果用美国大企业通常的标准来衡量，他从伯克希尔公司领取的10万美元年薪简直称得上寒酸。巴菲特夫妇也从没想过要把巨额财富留给孩子们，在钱的问题上，他对待子女非常没有人情味：女儿向他要 20 美元付机场停车费时，要给他带回发票，当巴菲特给孩子们贷款时，他们要签订协议。

巴菲特的生活也十分低调。奥马哈市没有他的博物馆，也没有以他名字命名的街心花园。当人们经过巴菲特那座朴实无华的房子时，甚至无法相信这里住着世界第二富豪。而此时，巴菲特可能正在厨房里一边享用着冰淇淋、可乐，一边默默注视着来来往往的人呢。

对自己身后的财富规划，巴菲特早有打算。一二十年前，他就曾不断表示会在死后把大部分财产捐给慈善事业。40 多年前，他与妻子苏珊一起创立了巴菲特基金会，其宗旨包括促进生育健康和反对核武器扩散等。他一直希望让妻子来管理自己的遗产。2004 年苏珊去世，巴菲特为纪念亡妻，将基金会改名为苏珊·巴菲特慈善基金会，同时，他也开始考虑提前捐出自己的财产。

（四）

读前问题　巴菲特为什么把钱捐给盖茨的基金会？

与其他慈善家把财富留给家族基金会不同，巴菲特把大部分股票捐给了盖茨基金会，这在历史上几乎没有过先例。同时，这也令世人对世界第一、第二富豪之间的交情产生了莫大的兴趣。

早在 15 年前，巴菲特与盖茨就经共同的朋友介绍而相识。目前，盖茨是伯克希尔公司的董事会成员，巴菲特则通过伯克希尔公司持有微软股票。两位富翁除了经常一起旅行和结伴在网上打桥牌外，还常常就个人及企业的事务征求对方建议。在巴菲特 25 日宣布捐献计划后，盖茨夫妇说，正是因为早年间受到了巴菲特的启发，他们才有了用个人财富回馈社会的想法。美国公共广播公司（PBS）定于 26 日晚播出对巴菲特和盖茨的联合采访，为此，两人还在当日的《纽约时报》上刊登了整版广告。

分析人士认为，巴菲特的这一举动显示出他与盖茨私交的深厚以及对盖茨的信任。巴菲特不久前曾对卢密斯说，把自己的钱交给盖茨的基金会，会比较省心。他坦言，做慈善事业不会立竿见影，这让他感到烦心，他也不喜欢与很多人打交道。同时他深知，不管做什么事情，最顺理成章的做法就是找一个比自己更适合的人代劳。就这件事来说，那个人就是盖茨。

（《环球时报》2006 年 6 月 27 日，
记者　欧红）

读后分析讨论

一、给课文二的四个部分各选择一个合适的小标题

(一)	A. 与盖茨交情深
(二)	B. 传奇的股票人生
(三)	C. 让世界震惊
(四)	D. “一毛不拔”的财富观

二、根据课文判断正误

1. 巴菲特决定在他死后把所有的钱都捐给慈善事业。 ( )
2. 美国各大媒体过了很短的时间以后就报道了巴菲特捐款的事情。 ( )
3. 巴菲特首次向世界表明，慈善事业进入了黄金时代。 ( )
4. 巴菲特从小就很有投资意识。 ( )
5. 巴菲特 30 岁以前就成了百万富翁。 ( )
6. 对巴菲特来说，工作是最重要的事情。 ( )
7. 妻子去世以后，巴菲特成立了苏珊·巴菲特慈善基金会。 ( )
8. 巴菲特经常和盖茨一起旅行和在网上打桥牌。 ( )

三、找出课文中三个以上长定语句

____

____

四、问一下你的同桌，假如他（她）是一名富翁，会怎么生活，怎么处理自己的财富

____

____

第八课

孤寡老人收养150只流浪猫

（慈善—收养·通讯）

课文一

【教与学的提示】

话题背景

人人都献出一点爱，这世界多美好。被遗弃的孤儿、流浪猫、流浪狗等等，在他们无助的时候，有人伸出了援助的手来收养他们。爱，是人类永恒的主题。

体　裁

本文的体裁是通讯。

语篇分析

本文分两大部分。

第一部分是引子，概括介绍“猫宅”的基本情况。

第二部分为三个小标题及其相关的内容。

第一个小标题：“来了我们就是一家子”，描写老人和猫的生活。

第二个小标题：“20多年前就开始收留流浪猫”，说明老人养猫的经历和经验。

第三个小标题：“每月拿自己的积蓄贴补小猫们”，说明老人养猫的负担。

孤寡老人收养150只流浪猫

20多年收留无家可归的猫　省下自己的钱为小猫买营养品

本报讯　什刹海的老住户都知道龙头井胡同里有一座“猫宅”。与其说是“猫宅”，更确切地讲是一座“猫的乐园”、“流浪猫的乐园”。这户人家的结构很简单：一位孤寡老人和她捡来的150只流浪猫。

读后问题　“猫宅”里有哪些成员？

“来了我们就是一家子”

“平平，平平，回来……”昨天，记者顺着一阵阵呼唤声找到丁世英老人的家。一位中年妇女开了门，进入视线的是一位站在凳子上踮着脚，拿着小棍，正在寻猫的老人。

簇拥在老人身边的是一只只活蹦乱跳的小猫。老人说它们都是捡来的，“来了就是缘分，来了我们就是一家子”。丁奶奶家是独门独院，两间大平房全让猫占了，一间屋子干脆成了猫的宿舍，纸箱子，竹篮子，里间还有一个“双层卧铺”，走进一看，全是一个个可爱的小脑袋，一双双小眼睛，但眼神中带了一丝警惕，对陌生人的怀疑，毕竟它们有过被遗弃的经历，毕竟在浪迹街头之后，只有丁奶奶收留了它们。

读后问题　丁奶奶家里什么样？

20多年前就开始收留流浪猫

丁奶奶养了一辈子的猫，从1983年开始“成批”地收留流浪猫。从几只、十几只到几十只、上百只，老人没想到当年的好心，成了今天的善举，又因为被看做是善举，让她源源不断地收到无限期“整托”的小猫。

由于经年累月给小猫看病，丁奶奶也成了一名准宠物医生，对皮肤病、耳螨之类的常见病和打针、防疫等常识都了如指掌，深谙其道。老人每天6点起床，第一件事就是把猫挨个儿数一遍，看看它们的状态。她还把生病的小猫放到自己的卧室养着，为的是随时观察它们的病情，及时为它们上药。

读后问题　为什么说她是一个准宠物医生呢？

每月拿自己的积蓄贴补小猫们

老人带记者走进她的卧室，整个屋子有一股刺鼻的味道，这种味道只有在动物园的象房、熊舍能闻道。老人说，这种形容很准确，但她已经习惯了。让老人习惯的还有很多，比如和小猫睡在一起，比如自己的营养品和小猫的营养品混放在一起，20多年来，老人已经摸出了自己的生活规律，老人讲，正是这份好心情，这份乐子，让她疾病全无，整日无忧。

虽然心情不错，但老人的生活还是很朴素的。丁奶奶说，自从养猫以来，她已经20多年没添置新衣服了，不多的几件还是沾了小猫的光。“经常有热心人来我这儿看猫，看到我的负担和家里的状况，有捐钱的，有送猫粮的，还有给我送衣服的，所以我还是沾了这些小家伙的光。”

援助毕竟是少数，也解决不了根本问题。150只猫每天要吃掉15斤猫粮，用去50斤猫沙，丁奶奶说一月下来起码花上小4000元，仅凭她每月1000多元的退休金是远远不够的。她说，她不敢指望别人，只能自己先省吃俭用，每月亏空的就用自己的积蓄往里补。

丁奶奶说：“年龄不饶人，毕竟是奔八十的人了，我感到力不从心，但我不敢想我‘走’的那天，它们该怎么办，只能是在我在的日子让它们过好。”

读后问题　丁奶奶的生活怎么样？她担心什么？

（《北京青年报》2005年10月30日，记者　朱鹰、魏谦）

新闻句式

1. 长定语句

（1）一位中年妇女开了门，进入视线的是一位站在凳子上踮着脚，拿着小棍，正在寻猫的老人。

（2）簇拥在老人身边的是一只只活蹦乱跳的小猫。

（3）又因为被看做是善举，让她源源不断地收到无限期“整托”的小猫。

（4）我感到力不从心，但我不敢想我“走”的那天，它们该怎么办。

2. 并列项句

（1）由于经年累月给小猫看病，丁奶奶也成了一名准宠物医生，对皮肤病、耳螨之类的常见病和打针、防疫等常识都了如指掌，深谙其道。

（2）经常有热心人来我这儿看猫，看到我的负担和家里的状况，有捐钱的，有送猫粮的，还有给我送衣服的。

成语

1. 活蹦乱跳	huó bèng luàn tiào	很活跃的样子。
2. 源源不断	yuányuán bú duàn	一直有来源。
3. 经年累月	jīng nián lěi yuè	时间很长。
4. 了如指掌	liǎo rú zhǐ zhǎng	非常了解。
5. 省吃俭用	shěng chī jiǎn yòng	生活节约。
6. 力不从心	lì bù cóng xīn	有想法但是做不到。

生词

1. 住户	zhùhù	（名）	生活在某地方的人家
2. 确切	quèqiè	（形）	具体而清楚
3. 乐园	lèyuán	（名）	快乐的园地
4. 流浪	liúlàng	（动）	生活处所不固定，到处转移
5. 孤寡	gūguǎ	（区）	老年单身
6. 呼唤	hūhuàn	（动）	呼喊
7. 凳子	dèngzi	（名）	一种供人坐的工具
8. 踮	diān	（动）	脚尖着地但脚跟不着地
9. 簇拥	cùyōng	（动）	在周围围着
10. 缘分	yuánfèn	（名）	人与人之间发生联系的可能性
11. 脑袋	nǎodai	（名）	头（口语）
12. 警惕	jǐngtì	（动）	小心谨慎
13. 遗弃	yíqì	（动）	丢在外面不管
14. 浪迹	làngjì	（动）	到处漂泊，没有固定住所
15. 收留	shōuliú	（动）	接收下来并给予帮助
16. 善举	shànjǔ	（名）	善良的举动
17. 限期	xiànqī	（名）	限定的时间
18. 准	zhǔn	（缀）	还没有成为正式的
19. 耳螨	ěrmǎn	（名）	一种虫
20. 防疫	fángyì	（动）	预防传染病

21. 深谙	shēn'ān	（动）	非常了解
22. 挨个儿	āigèr	（副）	依次
23. 积蓄	jīxù	（名）	存下来的钱
24. 贴补	tiēbǔ	（动）	拿出自己的钱帮助（亲属或朋友）
25. 刺鼻	cìbí	（形）	气味很大
26. 形容	xíngróng	（动）	对事物的形象和性质加以描述
27. 乐子	lèzi	（名）	高兴的事
28. 朴素	pǔsù	（形）	生活节约
29. 添置	tiānzhì	（动）	购买家具等
30. 沾光	zhān guāng	（动）	跟着得到好处
31. 援助	yuánzhù	（动）	支援帮助
32. 猫沙	māoshā	（名）	一种供猫排泄时用的沙子
33. 指望	zhǐwàng	（动）	希望
34. 亏空	kuīkong	（动）	超出经济能力而支出钱物
35. 饶人	ráorén	（动）	让着别人

一、根据课文内容简单回答下列问题

1. 记者去丁奶奶家的时候，那个开门的中年妇女可能是什么人？
2. 丁奶奶家那些猫的眼神中为什么带了一丝警惕和怀疑？
3. 为什么丁奶奶能不断地收到无限期“整托”的小猫？
4. 老人身体好的原因是什么？
5. 老人养猫的钱是怎么来的？

二、解释画线词语，理解下列句子的意思

（1）又因为被看做是善举，让她源源不断地收到无限期“整托”的小猫。

善举：　　　　　　　　　　整托：

（2）由于经年累月给小猫看病，丁奶奶也成了一名准宠物医生，对皮肤病、耳螨之类的常见病和打针、防疫等常识都了如指掌，深谙其道。

准：　　　　　　　　　　　　　　深谙其道：

(3) 20多年来，老人已经摸出了自己的生活规律，老人讲，正是这份好心情，这份乐子，让她疾病全无，整日无忧。

摸出：　　　　　　　　　　　　　乐子：

(4) 年龄不饶人，毕竟是奔八十的人了，我感到力不从心，但我不敢想我"走"的那天，它们该怎么办，只能是在我在的日子让它们过好。

奔：　　　　　　　　　　　　　　走：

三、从老人的言行中可以感受到老人与猫的关系。你能说说这种关系吗

____

____

四、问一下你的同桌，他（她）怎样看待丁奶奶收养流浪猫这件事情

____

____

五、照例子写出下列动词更多的宾语

1. 遗弃猫	遗弃________	遗弃________	遗弃________
2. 收留流浪猫	收留________	收留________	收留________
3. 观察病情	观察________	观察________	观察________
4. 送猫粮	送________	送________	送________

六、选择合适的词语填进括号内

亏空　可爱　起码　警惕　指望　凭　收留　遗弃

1. 走进一看，全是一个个（　　）的小脑袋，一双双小眼睛，但眼神中带了一丝（　　），对陌生人的怀疑，毕竟它们有过被（　　）的经历，毕竟在浪迹街头之后，只有丁奶奶（　　）了它们。

2. 150只猫每天要吃掉15斤猫粮，用去50斤猫沙，丁奶奶说一月下来（　　）花上小4000元，仅（　　）她每月1000多元的退休金是远远不够的。她说，她不敢（　　）别人，只能自己先省吃俭用，每月（　　）的就用自己的积蓄往里补。

七、用所给词语组成完整的句子

1. A. 猫　B. 丁奶奶　C. 一辈子　D. 养了　E. 的

句子 ______________________________

2. A. 小猫　B. 一只只　C. 老人　D. 簇拥　E. 在　F. 身边

句子 ______________________________

3. A. 问题　B. 援助　C. 解决　D. 根本　E. 不　F. 了

句子 ______________________________

4. A. 呼唤声　B. 记者　C. 丁世英老人的家　D. 找到　E. 顺着　F. 一阵阵

句子 ______________________________

5. A. 热心人　B. 经常　C. 猫　D. 我这儿　E. 来　F. 有　G. 看

句子 ______________________________

6. A. 新衣服　B. 她　C. 添置　D. 没　E. 已经　F. 20 多年　G. 了

句子 ______________________________

7. A. 大平房　B. 猫　C. 占　D. 两间　E. 全　F. 了　G. 让

句子 ______________________________

8. A. 屋子　B. 味道　C. 整个　D. 刺鼻　E. 一股　F. 有　G. 的

句子 ______________________________

9. A. 记者　B. 老人　C. 走进　D. 带　E. 她　F. 卧室　G. 的

句子 ______________________________

10. A. 在动物园　B. 只有　C. 味道　D. 闻到　E. 能　F. 里

G. 这种

句子

八、请用所给的句子组成一段话，并标出标点符号

1. 句子

A. 看看它们的状态

B. 为的是随时观察它们的病情，及时为它们上药

C. 第一件事就是把猫挨个儿数一遍

D. 她还把生病的小猫放到自己的卧室养着

E. 老人每天6点起床

语段

2. 句子

A. 使猫家族迅速增加到了14只

B. 就开始了送猫计划

C. 有一位退休教师，在家中已经有猫的情况下，又收留了几只流浪猫

D. 随着年龄的增长，老人感到照顾这些猫已经很吃力了

E. 其中一只波斯猫，在收养了几年后，与其他的猫生下了几窝小猫

语段

3. 句子

A. 但随着收养的动物数目日益庞大，老人已不堪重负

B. 她开门后发现，门口只有一个纸箱，里面有3只毛茸茸的小狗

C. 由于收养流浪动物远近闻名，丁奶奶频频收到被遗弃的宠物

D. 前晚11点，西城后海龙头井街的丁世英老人家门铃响起

E. 这是她本月第四次收到被遗弃在门前的小动物

语段

课文二

读前准备

选择对下列句子中画线词语的恰当解释

1. 他最初的想法是组建一个孤儿艺术团，但由于条件限制，每周一两次的辅导根本不见成效。因此，他便萌生了把孤儿领回家的想法。

   不见成效：A. 没有明显的效果　　B. 有了明显的效果

   萌生：　　A. 产生　　B. 没有产生

2. 看着孩子，金辅中的脸上洋溢着笑容："让他们拥有一技之长，可以去专业的文化团体工作，可以组建演奏队，靠技能自食其力，这就是我助养他们的目的。"

   洋溢：　　A. 充分流露出来　　B. 没有流露出来

   一技之长：A. 有很多技术特长　　B. 有一项技术特长

   自食其力：A. 凭自己的劳动来养活自己　　B. 依靠别人的劳动来养活自己

3. 孩子们的才艺也让周围的邻居们刮目相看。

   刮目相看：A. 用旧的眼光来看待　　B. 用新的眼光来看待

4. 当场，有的孩子能够将大人随口说出的题立即用心算算出来，有的孩子用外语表演外国短剧，钢琴、萨克斯、黑管、小号等各种乐器更是让邻居们看得目瞪口呆。

   目瞪口呆：A. 吃惊的样子　　B. 很一般

家庭会议拍板收养孤儿

20个孩子一个"爹"

读前问题　金辅中家有哪些家庭成员？

12斤大米、12斤面、50块钱的蔬菜，这是沈阳人金辅中家一天的口粮。他的大家庭有27口人。

这里边除了妻子、两个儿子、父母和哥哥外，其余的是金辅中收养的20个孤残儿童。

去年12月，在中宣部、共青团中央主办的"2005感动中国"大赛活动中，金辅中和他的20个孩子的感人故事成为沈阳唯一的入选者。

在辽宁省妇联和本报共同举办的全省“和谐家庭”评选中，金辅中一家成为沈阳市妇联推荐的候选家庭。获得“和谐家庭”称号的家庭将在年底受到表彰(zhāng)。

(一)

读前问题　金辅中的家里是怎么安排的？

走进东油馨（xīn）村小区，一打听收养很多孩子的金辅中家，居民都会告诉你准确的位置。因为收养众多的孩子，这个大家庭在小区具有相当高的知名度。

这是一个三层带阁（gé）楼的住宅，380 平方米的面积，然而却因为人口多显得狭小。

大门口就是一排排的鞋架，鞋架将近 1 人高，摆满了一双双小鞋。一楼是餐厅，摆着 4 张圆桌。在餐厅的四周，还摆放着两台钢琴和一架马林巴（打击乐器）。

二楼是孩子们学习的教室和卧室，卧室变成了上下铺的寝（qǐn）室。二楼大厅是一张张书桌连起来的一个十几平方米的大书桌，四周有黑板和黑管、架子鼓等乐器。

三楼是电脑吧和金辅中父母的卧室，电脑吧中摆着 3 台电脑。

阁楼也利用起来，成为部分男孩子的寝室，屋里同样摆着萨克斯、黑管、架子鼓等乐器。

“这是父亲的房子，父母非常支持我收养孩子，把房子让了出来，并且把孩子们视为自己的亲孙子亲孙女。”

金辅中，一个戴着眼镜的标准知识分子形象的中年男子，说起话来总是面带笑容。

金辅中毕业于沈阳音乐学院管弦乐双簧管专业，毕业后他一直从事音乐教育工作。

他从 2003 年开始收养福利院的孤儿，现在一共收养 20 个孩子，最大的 17 岁，最小的才 5 岁。

(二)

读前问题　金辅中是怎么让家人同意的？孩子们来了以后，他们是怎么照顾孩子的？

“一开始是有点‘私心’。”金辅中这样解释他是为什么想收养孩子的。

金辅中 2000 年开始在沈阳市儿童福利院做义工，教那里的孩子音乐和围棋。

他最初的想法是组建一个孤儿艺术团，但由于条件限制，每周一两次的辅导根本不见成效。因此，他便萌生了把孤儿领回家的想法。

然而，这需要家人的同意，“刚开始绝对是一种阴谋。”

金辅中开始有意带妻子和哥哥、姐姐去福利院，让他们多接触孩子，逐渐接受孩子。

周末，他就把孩子带回家，让自己的父母看看孩子，也让孩子们了解这个家。

然而，当他正式提出收养这些孩子的时候，家里召开了家庭会议，父母、哥哥、姐姐全部参加。

父母要求他必须考虑到收养这些孩子的经费、教育等情况。

为此，金辅中特别写了一份书面的报告交给父母，终于争得家人的同意。

2003年9月，金辅中第一次领回家7个孩子，此后几乎每个月都领养一个。

为照顾这些孩子，妻子司明飞辞去幼儿园的工作，姐姐也专门来照顾孩子。

家人还明确了分工：金辅中负责教授音乐围棋这些“专业课”和业余活动；妻子司明飞负责孩子的吃穿用和文化课；姐姐也负责监督孩子学习文化课；多才多艺的大哥教孩子书法、电脑和摄影；二哥负责教英语和象棋。

（三）

读前问题 孩子们学到了什么本事？

“现在所说的‘贵族教育’，我的孩子们都得到了。”金辅中骄傲地说。

在二楼的教室，刚刚摆开武术套路与小朋友玩闹的金峰成拿出了自己画的画儿，有老虎、山鹰（yīng）等。他说他还会吹萨克斯。

看着孩子，金辅中的脸上洋溢着笑容：“让他们拥有一技之长，可以去专业的文化团体工作，可以组建演奏队，靠技能自食其力，这就是我助养他们的目的。”

孩子们的才艺也让周围的邻居们刮目相看。

在2004年，金辅中组织孩子们在小区内搞了一场音乐会，也是孩子才艺的展示会。当场，有的孩子能够将大人随口说出的题立即用心算算出来，有的孩子用外语表演外国短剧，钢琴、萨克斯、黑管、小号等各种乐器更是让邻居们看得目瞪口呆。

一些年纪大的人看见这些孤儿甚至残疾孩子有这些本事，都是流着泪看完演出的。

（四）

读前问题 社会上其他人是怎么支持金辅中的？

对金辅中一家的付出，周围的人都从不理解到理解，直到伸出援助之手。

三台子第五小学为他们开了两个学习班，一个是二年级班，一个是五年级班，学习课程与别的孩子一样。

金辅中经常带着这些孩子去省政府游泳馆游泳，知道他收养这些孩子后，省政府游泳馆决定对他们免费。

他们家所在的社区和街道，也不时派人送来被子等生活用品。

孩子们在沈阳师范大学学习钢琴、乐理等课程，教师授课也都是免费的。在辽宁歌剧院学习各种乐器，金辅中的同事们也都免费教学。

（《辽沈晚报》2006年4月18日，记者　叶枫、马琳）

读后分析讨论

一、给课文二的四个部分各选择一个合适的小标题

（一）	A. 大家庭得到社会帮助
（二）	B. 家庭会议拍板收养孤儿
（三）	C. 20个孩子入住　豪宅变“小屋”
（四）	D. 他教孩子将来自食其力

二、根据课文判断正误

1. 除了收养的20个孤残儿童，金辅中家里一共有7口人。（　　）
2. 金辅中的家很难找。（　　）
3. 他家的一楼是餐厅，只摆着4张圆桌。（　　）
4. 金辅中的父亲原来住在阁楼里。（　　）
5. 金辅中一直从事教育工作。（　　）
6. 他最初的想法是组建一个孤儿艺术团。（　　）
7. 金辅中负责孩子们全部的教育。（　　）
8. 金辅中助养的目的是希望他们靠技能自食其力。（　　）
9. 一些老人看了这些孤儿的演出以后很伤心。（　　）
10. 开始的时候周围的人对金辅中一家的付出并不理解。（　　）

三、找出课文中三个以上长定语句

____

____

四、比较丁奶奶收养流浪猫和金辅中收养孤儿这两件事，并说说你对这两件事情的看法

____

____

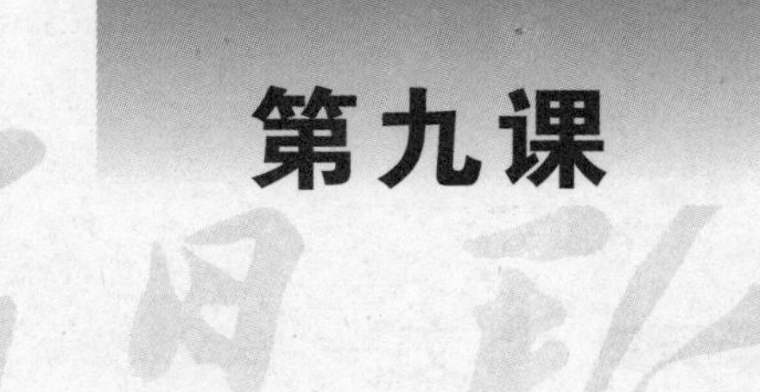

第九课

苦难中飞出一只阳光鸟

（青少年—自强·通讯）

课文一

【教与学的提示】

话题背景

俗话说，穷人的孩子早当家，杨英咏（yǒng）是一个 14 岁的孩子，他从 12 岁就承担起照顾母亲的责任。真是不简单！

体　裁

本文的体裁是通讯。

语篇分析

本文分两大部分。

第一部分为开头，概括地介绍杨英咏的经历。

第二部分为两个小标题。

第一个小标题："那一天，在他记忆里是永远无法抹去的灰色"，记叙杨英咏在父亲出走后承担照顾母亲的责任。

第二个小标题："当第一次靠自己的力量交上学费时，他灿烂地笑了"，记叙杨英咏的学校生活。

苦难中飞出一只阳光鸟

14岁，正值多梦的花季，其中该有多少欢笑、梦想和五彩斑斓的幸福！

然而，他没有。

12岁那年，他和妈妈被父亲抛下。从此，他学会了周末背起小木箱上街给人擦皮鞋挣钱养家；他必须在每天放学之后承担起一切家务，包括照料双目失明的妈妈；他没有穿过新衣服；他能记起的唯一美味是过年妈妈让他花两元钱买的一碗他一直盼望的炒米线……

他就这样走到了14岁，而且，还在继续走着。

苦难收走了他的花季，却给了他一双坚强的翅膀飞向蓝天和阳光。

当我们面对这个叫杨英咏的孩子时，他的成熟和坚强让人几乎难以相信。

读后问题　杨英咏有哪些同龄孩子所没有的苦难？

那一天，在他记忆里是永远无法抹去的灰色

杨英咏几乎是在一夜之间失去了一个12岁孩子的全部欢乐。

他很小跟随父母从重庆来到昆明，父母分别给人打工。上小学三年级时，母亲蹬三轮送货从车上摔下，视网膜脱落，双目失明，全家只得靠父亲一个人的收入度日。

父亲开始不喜欢这个家，常常几天不见人影。

2003年9月的一天，在杨英咏的记忆中是无法抹去的灰色。父亲说要出门打工，妈妈不同意，父亲斥骂，妈妈不停地哭泣。杨英咏流泪拉着父亲的手恳求："爸爸，你别走！妈妈看不见，我也要上初中了……"但恳求并没有挽回父亲的心，他踏出家门，再无音信。

那天晚上，杨英咏对自己说："我要靠自己的努力养活妈妈！"

他做了一个擦皮鞋的小木箱，每到周末，便背着小鞋箱上街给人擦皮鞋，擦一双鞋能挣一角钱。他还到垃圾箱捡别人扔弃的塑料瓶等废品去卖。

12岁的他学会了做饭、洗衣、拖地；学会了到菜市场用5角钱买回一堆干瘪的"处理"菜；学会了照顾妈妈的日常起居。有一个中秋节，他想炒一点儿炸酱，不想锅里的热油飞溅到手上，烫起了很大的泡，妈妈让他买瓶红花油来搽，他搽了两次就不搽了，告诉妈妈："省着点儿，下次烫到再搽。"

穿过一条狭长的巷子，杨英咏带我们来到他的家。

房间破旧昏暗，一只煤气炉、两只碗、几个矮小的塑料板凳……一张上下铺的木板床是这个家里最好的家当。

母亲坐在下铺边上，似乎已经等了很久，听到声音，兴奋地伸出手，当一把握住孩子伸过来的手时，她变形的眼窝里流淌出无限的怜爱和慈祥。“妈妈，你坐累了吧？”男孩横抱起母亲的身体，轻轻地往床上放去……

很久，我们说不出话。

杨英咏告诉我们，看不见的妈妈无论苦到何等程度，每天一定要做的，就是摸索着在他的作业本上“家长签字”一栏中写下自己的名字——“涂焕英”，这让杨英咏领悟了什么叫“永不放弃”。

2004年秋天，杨英咏小学毕业，他接到了昆明市明德民族中学的录取通知书，上面注明报到时要交200元学费。怎么办？他对妈妈说：“我一定要靠读书才能走出来！”他牵起妈妈的手，走进学校。

读后问题　在父亲离家出走以后，杨英咏是怎么生活的？

当第一次靠自己的力量交上学费时，他灿烂地笑了

新生报到那天，蒋雁林老师发现有一个叫杨英咏的学生一直没来。她走出教室，看到走廊上站着一个男孩和一个双目失明的女人。

“你是杨英咏？”

母亲流下泪来：“老师，我们没钱交学费，能不能让孩子先进来……”男孩没有说话，一双充满渴望的大眼睛直直地望着老师，老师的心痛了。她从自己的口袋里掏出钱，为杨英咏缴纳了学费。

杨英咏成了校园里一只快乐的鸟，他爱打篮球，爱唱歌，那歌声里带有同龄孩子少有的一种刚强。他喜欢数学，也喜欢作文，那文字里透出的思考远远超出一个初中学生的心力。

老师们发现，这个交不起学费的贫困学生有着丰富的精神世界，他腼腆内向的外表下，是一颗灿烂澎湃的心。

年底，几个老师走进了他的家，终于吃惊地看到了那一间昏暗的小屋，那床上破旧的被褥，那锅里见不着几粒米的稀饭和两个土豆……老师们落泪了，他们掏出了自己身上所有的钱。

几天后，蒋雁林老师做了一个废品收集箱放在教室里，她让大家把平日喝完饮料的空瓶子放进这只箱子，用来帮助一位贫困的同学。为了不伤害杨英咏的自尊心，老师没有说出他的名字，只是每个星期定时把积攒的空瓶子拿去换回十几元钱，交到杨英咏的手上。

2005年春节期间，外面鞭炮声不断，杨英咏突然想到燃放过的烟花可以收集起来卖些钱。于是，他大街小巷地跑。过年后他把“战利品”拿去卖了180多元钱。新学期开学，他把这些钱和平日攒的钱凑成200元兴奋地拿给老师交学费。那一天，杨英咏笑得灿烂极了……

读后问题　杨英咏在学校的表现怎么样？老师们是怎么关心他的？

（《北京日报》2006年4月11日，
记者　张严平、伍皓、浦超，有删节）

新闻句式

1. **长定语句**

（1）他能记起的唯一美味是过年妈妈让他花两元钱买的一碗他一直盼望的炒米线。

（2）他做了一个擦皮鞋的小木箱。

（3）他还到垃圾箱捡别人扔弃的塑料瓶等废品去卖。

（4）当一把握住孩子伸过来的手时，她变形的眼窝里流淌出无限的怜爱和慈祥。

（5）他喜欢数学，也喜欢作文，那文字里透出的思考远远超出一个初中学生的心力。

（6）老师们发现，这个交不起学费的贫困学生有着丰富的精神世界。

（7）年底，几个老师走进了他的家，终于吃惊地看到了那一间昏暗的小屋，那床上破旧的被褥，那锅里见不着几粒米的稀饭和两个土豆。

（8）她让大家把平日喝完饮料的空瓶子放进这只箱子。

2. **并列项句**

（1）14 岁，正值多梦的花季，其中该有多少欢笑、梦想和五彩斑斓的幸福！

（2）12 岁的他学会了做饭、洗衣、拖地。

（3）房间破旧昏暗，一只煤气炉、两只碗、几个矮小的塑料板凳……一张上下铺的木板床是这个家里最好的家当。

生词

1. 苦难	kǔnàn	（名）	痛苦
2. 正值	zhèngzhí	（动）	正处在
3. 花季	huājì	（名）	15－18 岁年龄段
4. 抛下	pāoxià	（动）	放弃
5. 承担	chéngdān	（动）	接过责任
6. 照料	zhàoliào	（动）	照顾
7. 盼望	pànwàng	（动）	希望

8. 炒米线	chǎomǐxiàn	（名）	一种细长形的食物
9. 坚强	jiānqiáng	（形）	坚定有力
10. 灰色	huīsè	（区）	比喻失望
11. 跟随	gēnsuí	（动）	跟着
12. 打工	dǎ gōng	（动）	做短期的工作
13. 蹬	dēng	（动）	踩
14. 视网膜	shìwǎngmó	（名）	眼球最内层的薄膜
15. 脱落	tuōluò	（动）	脱下来
16. 度日	dùrì	（动）	过日子
17. 斥骂	chìmà	（动）	骂
18. 哭泣	kūqì	（动）	哭
19. 恳求	kěnqiú	（动）	恳切请求
20. 音信	yīnxìn	（名）	消息
21. 扔弃	rēngqì	（动）	抛弃
22. 废品	fèipǐn	（名）	没有用的东西
23. 干瘪	gānbiě	（形）	非常瘦的样子
24. 炸酱	zhájiàng	（名）	一种食物
25. 飞溅	fēijiàn	（动）	飞出来
26. 搽	chá	（动）	涂
27. 狭长	xiácháng	（形）	又窄又长
28. 巷子	xiàngzi	（名）	较窄的街道
29. 煤气炉	méiqìlú	（名）	一种炉子
30. 板凳	bǎndèng	（名）	一种坐的工具
31. 家当	jiādang	（名）	家产
32. 眼窝	yǎnwō	（名）	眼睛凹进去的部分
33. 流淌	liútǎng	（动）	流动
34. 无限	wúxiàn	（区）	没有限度的
35. 怜爱	lián'ài	（动）	爱
36. 慈祥	cíxiáng	（形）	老人的一种表情
37. 摸索	mōsuǒ	（动）	试着找

38. 签字	qiān zì	（动）	写上名字
39. 领悟	lǐngwù	（动）	明白
40. 注明	zhùmíng	（动）	写清楚
41. 牵	qiān	（动）	拉
42. 灿烂	cànlàn	（形）	多彩的
43. 缴纳	jiǎonà	（动）	交费用
44. 刚强	gāngqiáng	（形）	坚强
45. 心力	xīnlì	（名）	内心世界
46. 腼腆	miǎntian	（形）	因害羞而表情不自然
47. 内向	nèixiàng	（形）	不爱说话
48. 澎湃	péngpài	（形）	不平静
49. 被褥	bèirù	（名）	睡觉时盖在身上的东西
50. 自尊心	zìzūnxīn	（名）	自尊的心理
51. 积攒	jīzǎn	（动）	积累钱

一、根据课文内容简单回答下列问题

1. 杨英咏的父亲离家的原因是什么？
2. 杨英咏是怎么恳求父亲的？
3. 杨英咏在家里要做哪些事情？
4. 从哪些方面可以体现出妈妈对孩子的爱？
5. 杨英咏在学校里喜欢做什么？

二、解释画线的词语，理解句子的意思

（1）14 岁，正值多梦的花季，其中该有多少欢笑、梦想和五彩斑斓的幸福！

花季：

（2）2003 年 9 月的一天，在杨英咏的记忆中是无法抹去的灰色。

灰色：

(3) 当一把握住孩子伸过来的手时，她变形的眼窝里流淌出无限的怜爱和慈祥。

流淌：

(4) 过年后他把“战利品”拿去卖了180多元钱。

战利品：

三、请你从课文对杨英咏行为的描写中概括出他的性格

____

____

四、照例子写出下列动词更多的宾语

1. 擦皮鞋　　擦________　　擦________　　擦________
2. 学会洗衣　　学会________　　学会________　　学会________
3. 交学费　　交________　　交________　　交________
4. 掏出钱　　掏出________　　掏出________　　掏出________

五、选择合适的词语填进括号内

伸　　丰富　　抱　　似乎　　外表　　兴奋　　流淌

1. 母亲坐在下铺边上，(　　)已经等了很久，听到声音，(　　)地伸出手，当一把握住孩子(　　)过来的手时，她变形的眼窝里(　　)出无限的怜爱和慈祥。“妈妈，你坐累了吧？”男孩横(　　)起母亲的身体，轻轻地往床上放去……
2. 老师们发现，这个交不起学费的贫困学生有着(　　)的精神世界，他腼腆内向的(　　)下，是一颗灿烂澎湃的心。

六、用所给词语组成完整的句子

1. A. 家务　　B. 他　　C. 承担起　　D. 必须　　E. 一切

句子______________________________

2. A. 老师　　B. 大眼睛　　C. 望着　　D. 直直地　　E. 一双

句子______________________________

3. A. 流着泪　B. 留下　C. 父亲　D. 他　E. 恳求

句子 ______________________________

4. A. 学校　B. 走进　C. 牵起　D. 他　E. 妈妈的手

句子 ______________________________

5. A. 父亲　B. 妈妈　C. 抛下　D. 被　E. 他　F. 和

句子 ______________________________

6. A. 钱　B. 她　C. 口袋　D. 掏出　E. 从　F. 里

句子 ______________________________

7. A. 孩子　B. 学费　C. 缴纳了　D. 她　E. 为　F. 这个

句子 ______________________________

8. A. 把　B. 空瓶子　C. 十几元钱　D. 换回　E. 拿去　F. 她

句子 ______________________________

9. A. 教室里　B. 废品收集箱　C. 老师　D. 放在　E. 一个
F. 做　G. 了

句子 ______________________________

10. A. 皮鞋　B. 给人　C. 小鞋箱　D. 背着　E. 擦　F. 上街
G. 他

句子 ______________________________

七、请用所给的句子组成一段话，并标出标点符号

1. 句子

A. 交到杨英咏的手上

B. 她让大家把平日喝完饮料的空瓶子放进这只箱子

C. 只是每个星期定时把积攒的空瓶子拿去换回十几元钱

D. 几天后，蒋雁林老师做了一个废品收集箱放在教室里

E. 用来帮助一位贫困的同学

F. 为了不伤害杨英咏的自尊心，老师没有说出他的名字

语段 ______________________________

____

2. 句子

A. 他搽了两次就不搽了

B. 烫起了很大的泡

C. 他想炒一点儿炸酱

D. 有一个中秋节

E. 不想锅里的热油飞溅到手上

F. 妈妈让他买瓶红花油来搽

G. 告诉妈妈："省着点儿，下次烫到再搽。"

语段 ______________________________

____

3. 句子

A. 就应该尽全力好好学习，参与学校的各种活动

B. 我在学校，是一名学生

C. 我的妈妈有病，我在家时就要尽力照顾好妈妈，这是我的责任

D. 这样做，也是对我妈妈的最大安慰

E. 我们应该懂得把生活中一些事情分开

语段 ______________________________

____

课文二

读前准备

选择对下列句子中画线词语的恰当解释

1. 这就是在长三角地区日渐浮出水面的 neet 一族。

   A. 出现　　　　B. 没出现

2. neet 是舶（bó）来词，neet 本身也是一个国际化现象。

A. 普通的词语　　　　B. 外来词

3. 该词来源于富裕家庭使用银餐具的奢侈（shēchǐ）。

A. 寒酸　　　　B. 豪华

4. 只不过这两年大学生“赋闲”的状况更明显，而且人们对此的关注度也提高了。

A. 没有职业在家闲着　　　　B. 有职业而且很忙

5. 该调查报告反映，这一部分人日常生活往往沉湎（miǎn）于自己的个人世界，交往对象范围狭窄。

A. 沉浸　　　　B. 漂浮

6. 一类是纯粹寄生虫型失业，依赖父母生存，不愿意辛苦谋生。

A. 像寄生虫那样　　　　B. 寄生在别的生物体内的虫子

7. 他们或者选择追逐梦想，但因为其就业理想与现实不匹配而造成失业。

A. 已经实现　　　　B. 去实现

8. 有些女性干脆选择做全职太太，完全摒（bìng）弃“上班”这种生存方式。

A. 接受　　　　B. 抛弃

9. neet 一族渐出水面，有着深刻的经济文化根源。有专家把原因归咎（jiù）于经济的发展。

A. 过错　　　　B. 归结在

10. 工作是一个人融入社会的契（qì）机，neet 不利于一个人建立社会人格。

A. 关键　　　　B. 关心

11. 多种统计数据显示，无所事事的 neet 更容易成为社会不安定因素。

A. 有事情做　　　　B. 没有事情做

长三角——neet 一族渐出水面

读前问题　什么叫 neet?

7 月 9 日，在杭州西湖边上的一家茶社里，记者见到了 25 岁的陈雄（化名）。他大学毕业两年，却一直花父母的钱，还没上过班。

不上班，并不是因为找不到工作。小陈这样回应别人的质疑——“上班有啥意思？还不如睡睡懒觉，玩玩游戏。鄙视我？我身边这样的人多着呢。”

这就是在长三角地区日渐浮出水面的 neet 一族。所谓 neet，是 Not in Education，Employment or Training（不上

学，没有工作，也不接受职业培训）的简称。

（一）

读前问题　长三角的 neet 有哪几种类型？

neet 是舶来词，neet 本身也是一个国际化现象。在日本，据说截至 2003 年共有 52 万名 neet。美国人则把类似的现象称为“银餐具综合征（silver spoon syndrome）”，该词来源于富裕家庭使用银餐具的奢侈。在他们看来，neet 是一种富贵病。

长三角 neet 族，其实早就存在了。江苏省高校招生就业指导中心办公室主任马杰说，只不过这两年大学生“赋闲”的状况更明显，而且人们对此的关注度也提高了。2002 年，上海市有关部门曾经请零点公司做过一次调查，结果显示本市 16 岁至 25 岁之间的失业、失学青少年高达 63000 名。这其中，中专、职高甚至大专（学）学历的“知识型”neet 族占有相当比例。浙江省一位教育专家认为，根据近年来对苏浙两省各类高校毕业生人数和实际就业人数的对比分析，neet 一族的数量有迅速增加的趋势。

该调查报告反映，这一部分人日常生活往往沉湎于自己的个人世界，交往对象范围狭窄。相比同龄青少年，他们的社会态度总体比较消极。和国外的 neet 一样，长三角的 neet 也有三种类型：一类是纯粹寄生虫型失业，依赖父母生存，不愿意辛苦谋生；一类是被迫失业型，由于各种原因导致的就业障碍。还有一类是新出现的非传统型失业型，他们或者选择追逐梦想，但因为其就业理想与现实不匹配而造成失业，有些女性干脆选择做全职太太，完全摒弃“上班”这种生存方式。

（二）

读前问题　产生 neet 的根源是什么？

neet 一族渐出水面，有着深刻的经济文化根源。有专家把原因归咎于经济的发展。社会财富在某些家庭迅速积累，导致部分年轻人即使不工作也能衣食无忧。

在长三角，确实也有这方面的情况。上海社会科学院的韩晓燕博士说，上海浦东、闵行等区域，少数家庭有多套房子出租，家里的小孩很多就选择不工作。“这一类 neet 往往小事做不来，大事又做不好，整天无所事事，精神比较空虚，与其说是一种物质条件宽裕后的多元化选择，不如说他们的生活出现了意义危机。”韩晓燕说，在北欧，曾经出现过一大批“躺在国家福利上”的 neet。

但是，华东理工大学社会工作系副教授王瑞鸿认为，在长三角，相当一部分 neet 的家庭条件并不宽裕，可以说在中等水平。教育专家说，他们“选择”不工作的原因是：一方面，我国当前的职业教育，内容和科目设置并不完全以就业为导向，这样就导致学生在从学校到就业过渡的过程中出现断层而缺乏职业技能，就业自然缺乏竞争力。再者，很多知识型的neet往往眼光较高，对于薪水和待遇有着较高要求，很多工作他们并不乐意去做。

江苏省高校招生就业指导中心的工作人员说，在neet一族中，有很大一部分人选择依旧待在校园中，有人准备考研，也有人想办法出国。对于这些人，网络上还有另外一种叫法——校漂一族。

但是，无论是哪种neet，都可能带来社会问题。华东政法学院教授、中国青少年犯罪研究会副会长肖建国说，工作是一个人融入社会的契机，neet不利于一个人建立社会人格。多种统计数据显示，无所事事的neet更容易成为社会不安定因素；而且，neet还将冲击中国本就脆弱的养老体制，极大地浪费人力资源。

（《解放日报》2005年7月11日，作者　吴长亮，有删节）

读后分析讨论

一、给课文二的两个部分各选择一个合适的小标题

（一）　　A. 长不大，谁之过

（二）　　B. neet，正在流行

二、根据课文判断正误

1. 陈雄因为找不到工作，所以待在家里。（　）
2. neet一族的数量有迅速增加的趋势。（　）
3. 他们的社会态度总体比较消极。（　）
4. neet一族的增加与经济的发展有很大的关系。（　）
5. neet的家庭条件都比较宽裕。（　）
6. neet都缺乏职业技能。（　）
7. neet对薪水和待遇的要求都比较高。（　）
8. 有的neet可能会带来社会问题。（　）

三、找出课文中三个以上长定语句

四、请问一下你的同桌，他（她）认识不认识像 neet 那样活着的人，他们是怎么生活的

____

____

单元复习三

一 判断所给词语放在句中哪个位置上最恰当

1. 在美国，A 政府 B 超过一定限额的 C 遗产要征收 D 遗产税。 （ ）

对

2. 他希望 A 自己的举动能带动 B 更多的富豪 C 慈善事业慷慨 D 捐献。 （ ）

为

3. A 巴菲特 B 这一数额巨大的捐款 C 他成为 D 有史以来出手最为慷慨的慈善家。 （ ）

使

4. 对他来说，A 工作是生命，B 食物 C 和住所 D 小事一桩。 （ ）

只是

5. A 整个屋子有一股刺鼻的味道，这种味道 B 在动物园的象房、熊舍 C 能 D 闻道。 （ ）

只有

6. 丁奶奶养了一辈子的猫，从 1983 年 A 开始 B“成批”C 收留流浪猫 D。（ ）

地

7. 父母要求 A 他必须考虑 B 收养 C 这些孩子的经费、教育等情况 D。 （ ）

到

8. 她走 A 出 B 教室，看 C 到走廊上站 D 一个男孩和一个双目失明的女人。（ ）

着

9. 老师们落 A 泪了 B，他们掏出了 C 自己身上所有 D 钱。 （ ）

的

10. 社会财富 A 在某些家庭 B 迅速积累，导致部分年轻人即使 C 工作也 D 能衣食无忧。 （ ）

不

二 选择恰当的词语填空

1. 在世界首富比尔·盖茨宣布要全身投入慈善事业后，巴菲特再次（ ）世界表明，慈善事业进入了一个与100多年前相似的黄金时代。

A. 朝　　B. 向　　C. 为　　D. 为了

2. 2001年当布什总统签署旨在逐步削减并最终废除遗产税的法案时，作为最大“受益者”的富豪们（　　）予以最强烈的反对。

A. 而且　　B. 从而　　C. 反而　　D. 因而

3. 有一天，他宣布自己要在30岁以前成为百万富翁，（　　）就从奥马哈最高的建筑物上跳下去。

A. 所以　　B. 因此　　C. 于是　　D. 否则

4. 早在15年前，巴菲特与盖茨就（　　）共同的朋友介绍而相识。

A. 经　　B. 同　　C. 与　　D. 跟

5.（　　）心情不错，（　　）老人的生活还是很朴素的。

A. 虽然……但……　　B. 因为……所以……

C. 既然……那么……　　D. 既……也……

6. 这是一个三层带阁楼的住宅，380平方米的面积，然而（　　）因为人口多显得狭小。

A. 可　　B. 却　　C. 但　　D. 不过

7. 对金辅中一家的付出，周围的人都从不理解到理解，（　　）伸出援助之手。

A. 往　　B. 直　　C. 直到　　D. 一直

8. 他很小跟随父母从重庆来到昆明，父母（　　）给人打工。

A. 纷纷　　B. 尤其　　C. 特别　　D. 分别

9. 浙江省一位教育专家认为，（　　）近年来对苏浙两省各类高校毕业生人数和实际就业人数的对比分析，neet一族的数量有迅速增加的趋势。

A. 对　　B. 当　　C. 根据　　D. 在

10. 这一类neet往往小事做不来，大事又做不好，整天无所事事，精神比较空虚，（　　）是一种物质条件宽裕后的多元化选择，（　　）他们的生活出现了意义危机。

A. 与其说……不如说……　　B. 不管……都……

C. 虽然……但是……　　D. 因为……所以……

三　选择与画线词语意思最接近的解释

1. 我不是对王朝财富的热衷者，特别是当世界上60亿人还比我们穷得多的时候。

A. 爱好者　　B. 爱护者　　C. 恋爱者　　D. 讨厌者

2. 取消遗产税将使美国百万富翁、亿万富翁的孩子不劳而获，使富人永远富有，穷人永远贫穷，这将伤害穷人家庭和社会的平衡。

A. 不劳动得不到　　B. 不劳动就获得

C. 劳动以后获得　　D. 劳动以后得不到

3. 与其他慈善家把财富留给家族基金会不同，巴菲特把大部分股票捐给了盖茨基金会，这在历史上几乎没有过先例。同时，这也令世人对世界第一、第二富豪之间的交情产生了莫大的兴趣。

A. 非常小　　B. 比较小　　C. 比较大　　D. 非常大

4. 簇拥在老人身边的是一只只活蹦乱跳的小猫。

A. 围绕　　B. 周围　　C. 困扰　　D. 围困

5. 她说，她不敢指望别人，只能自己先省吃俭用，每月亏空的就用自己的积蓄往里补。

A. 节奏　　B. 节日　　C. 节目　　D. 节约

6. 老两口和孩子们所住的房子虽然收拾得够整齐，但掩饰不了浓重难闻的气味。

A. 掩护　　B. 掩盖　　C. 装饰　　D. 装扮

7. 但恳求并没有挽回父亲的心，他踏出家门，再无音信。

A. 声音　　B. 音乐　　C. 消息　　D. 休息

8. 房间破旧昏暗，一只煤气炉、两只碗、几个矮小的塑料板凳……一张上下铺的木板床是这个家里最好的家当。

A. 家庭　　B. 家具　　C. 家常　　D. 家伙

9. 不上班，并不是因为找不到工作。小陈这样回应别人的质疑——“上班有啥意思？还不如睡睡懒觉，玩玩游戏。鄙视我？我身边这样的人多着呢。”

A. 忽视　　B. 重视　　C. 看得起　　D. 看不起

10. 很多知识型的 neet 往往眼界较高，对于薪水和待遇有着较高要求，很多工作他们并不乐意去做。

A. 愿意　　B. 愿望　　C. 快乐　　D. 心意

四　快速阅读各段文字，根据内容选择问题的唯一恰当的答案

1. 巴菲特的惊人之举最早是在今年春天向美国《财富》杂志女编辑卢密斯透露的，当时，卢密斯的第一反应是问他：“你有病了吗?”巴菲特乐呵呵地

告诉她："绝对没有！我好得很呢。""股神"的大手笔确实惊呆了很多人。就连盖茨也表示，对这个决定感到受宠若惊。美国各大媒体纷纷在第一时间报道此事，并不惜笔墨盛赞这一举措。《华盛顿邮报》称，在世界首富比尔·盖茨宣布要全身投入慈善事业后，巴菲特再次向世界表明，慈善事业进入了一个与100多年前相似的黄金时代。上世纪初卡内基、洛克菲勒等美国著名实业家曾带动了现代慈善事业的第一次繁荣。《纽约时报》则指出，巴菲特的巨额捐献将使目前已拥有300亿美元的美琳达·盖茨基金会长期保持全球规模和影响最大的私人慈善机构的地位。

这段文字的主要内容是什么？

A. 巴菲特作出了捐款的决定　　B. 巴菲特捐款的决定所造成的影响

C. 巴菲特生病了　　D. 巴菲特和比尔·盖茨是好朋友

2. 82岁的老人陈尚义和81岁的妻子张兰英是定西市人，家住甘肃省定西市安定区民主路。自从老人在1980年收养残疾弃婴起，这座宅院每天都传出婴儿啼哭的声音。陈尚义夫妇现在收养的8个孩子中，年龄最大的14岁，最小的只有3岁。陈尚义老人说，在定西县安定区救助站的名册上登记的由他抚养的孤残儿童只有24名，其实他收养过42名孤残儿童。

这段文字的主要内容是什么？

A. 介绍陈尚义夫妇的收入情况　　B. 介绍陈尚义夫妇的生活情况

C. 介绍陈尚义夫妇收养孩子的情况　　D. 介绍陈尚义夫妇的身体状况

3. 该调查报告反映，这一部分人日常生活往往沉涵于自己的个人世界，交往对象范围狭窄。相比同龄青少年，他们的社会态度总体比较消极。和国外的neet一样，长三角的neet也有三种类型：一类是纯粹寄生虫型失业，依赖父母生存，不愿意辛苦谋生；一类是被迫失业型，由各种原因导致的就业障碍。还有一类是新出现的非传统型失业型，他们或者选择追逐梦想，但因为其就业理想与现实不匹配而造成失业，有些女性干脆选择做全职太太，完全摒弃"上班"这种生存方式。

这段文字的主要内容是什么？

A. 长三角的neet的特征　　B. 长三角的neet的爱好

C. 长三角的neet的思想　　D. 长三角的neet的态度

4. 当时，刚成名的丛飞在四川成都参加一场为失学儿童重返校园的慈善义演，观众席上坐着几百名因家穷辍学的孩子，看着一张张面露稚气的脸庞，丛飞不由自主地想起了自己苦难的童年。他当场将身上的2400元钱放进了捐款箱，这是当天全场最多的一笔助学款。主持人告诉丛飞说："你捐出的这2400元钱，可以使20个贫困山区的小学生完成两年的学业！"台下的许多观众都对丛飞的善举报以热烈的掌声。

看着孩子们激动的笑脸，丛飞感到从未有过的快乐："2400元钱可以改变那么多孩子的命运，这是一件多么有意义的事啊！"那一刻起，他下定了决心：要尽自己所能努力改变更多贫困学生的命运。从此，他开始了慈善义演和认养贫困失学儿童的爱心之旅。他先后二十多次赴贵州、湖南、四川、山东等贫困山区举行慈善义演，为当地的失学儿童筹集学费。同时，他还先后认养了几十个孤儿及残疾人，不但给他们提供学费，还负责他们的生活费。

(1) 这两段文字的主要内容是什么？

A. 丛飞的一次慈善义演　　B. 丛飞慈善活动的经历

C. 丛飞慈善义演的效果　　D. 丛飞捐款的效果

(2) 丛飞的童年是怎么样的？

A. 快乐的　　B. 困难的　　C. 幸福的　　D. 努力的

5. 丛飞的家位于深圳市翠竹北路，面积只有58平方米，当地媒体的同行向周末报记者描述说：廉价的防盗门上的铁皮已经破出了半尺多长的大洞，门锁彻底失灵，每天只能虚掩着。狭小的厨房不足两平米，去了安装炉灶的地方，只能进去一个人。屋里没有任何值钱的家当，衣柜里的衣物，都是些三五十元钱的便宜货，唯一有些档次的就是那套白色的演出服。

这段文字的主要内容是什么？

A. 丛飞家的位置　B. 丛飞家的面积　C. 丛飞家的门　D. 丛飞的家境

五　根据各段文字上下文的意思，选择唯一恰当的词语填空

1. ＿＿(1)＿＿自己身后的财富规划，巴菲特早有打算。一二十年前，他＿＿(2)＿＿曾不断表示会在死后把大部分财产捐＿＿(3)＿＿慈善事业。40多年前，他与妻子苏珊＿＿(4)＿＿创立了巴菲特基金会，其宗旨＿＿(5)＿＿促进生育健康和反对核武器扩散等。他＿＿(6)＿＿希望让妻子来管理自己的遗产。2004年苏珊去世，

巴菲特＿＿（7）＿＿纪念亡妻，＿＿（8）＿＿基金会改名为苏珊·巴菲特慈善基金会，＿＿（9）＿＿，他也开始考虑提前捐出自己的财产。

（1）A. 朝　B. 对　C. 向　D. 凭
（2）A. 正　B. 只　C. 却　D. 就
（3）A. 完　B. 光　C. 给　D. 掉
（4）A. 一直　B. 一起　C. 一定　D. 一面
（5）A. 包括　B. 包裹　C. 包　D. 包围
（6）A. 一直　B. 一起　C. 一定　D. 一面
（7）A. 向　B. 对　C. 在　D. 为
（8）A. 从　B. 对　C. 将　D. 在
（9）A. 于是　B. 无论如何　C. 同时　D. 并

2. 在neet一族中，有很大一＿＿（1）＿＿人选择依旧待在校园中，有人＿＿（2）＿＿考研，也有人想办法出国。＿＿（3）＿＿这些人，网络上还有另外一种叫法——校漂一族。

（1）A. 名　B. 位　C. 个　D. 部分
（2）A. 准点　B. 准时　C. 准备　D. 准确
（3）A. 对于　B. 为了　C. 为　D. 向

六　根据上下文的意思，在括号内填写一个恰当的汉字

1. 从当年的美国“石油大王”洛克菲勒和“钢铁大王”卡内基，到当代的盖茨和巴菲特，在美国，关心慈（　）事业，捐献大笔善款，早已成（　）富豪们义不容辞的一项义（　）。正如盖茨本人曾说的，巨额（　）富对他来讲，“不仅是巨大的权（　），也是巨大的义务”。

2. 丁奶奶家是独门独院，两间大平（　）全让猫占了，一间屋子干（　）成了猫的宿舍，纸箱子，竹篮子，里间还有一个“双层卧（　）”，走进一看，全是一个个可爱的小脑（　），一双双小眼睛，但眼神中带了一丝警（　），对陌生人的怀疑，毕竟它们有过被遗（　）的经历，毕竟在浪迹街头之后，只有丁奶奶收留了它们。

3. 杨英咏告诉我们，看不见的妈妈无论苦到何等程（　），每天一定要做的，就是摸（　）着在他的作业本上“家长（　）字”一栏中写下自己的名字——“涂焕英”，这让杨英咏领（　）了什么叫“永不放弃”。

第十课

走近青藏铁路

（环保—交通·消息）

（青藏铁路）

课文一

【教与学的提示】

话题背景

青藏铁路由青海省西宁市至西藏自治区拉萨市，全长1956公里。其中，西宁至格尔木段长814公里，1979年建成铺通，1984年投入运营。新修建的部分自青海省格尔木市起，沿青藏公路南行至西藏自治区首府拉萨市，全长1142公里。

青藏铁路全线在2006年7月1日通车，改变了西藏不通火车的历史。

青藏高原向来有"世界屋脊"、"地球第三极"之称，是中国的"江河源"。在青藏高原这种原始、独特、脆弱、敏感的地理生态环境中修建的青藏铁路是世界上海拔最高、线路最长的高原铁路，翻越唐古拉山的铁路最高点海拔5072米，经过海拔4000米以上地段960公里，连续多年冻土区550公里以上。在青藏铁路建设和施工中有效地保护生态环境，是青藏铁路建设的重要任务，也是国内外关注的焦点。

青藏铁路通车后，对于沿途产生的垃圾，铁路管理部门严格按照环保要求，建成后的沿线车站废弃物集中收集处理，生活污水经过处理后达标排放；客车采用封闭式车体，设置真空集便器，排污使用专用排污车集中处理。在无人车站将有专门的垃圾车每五天专门清理一次，送往格尔木或拉萨。

体　裁

本文的体裁是消息。

语篇分析

本文分两大部分。

第一部分为导语。

第二部分分三个小标题。

第一个小标题："进藏列车　让乘客呼吸自如"，说明列车的特殊性。

第二个小标题："沿线车站　每一个站都是风景"，说明车站的特殊性。

第三个小标题："生态保护　人与动物和谐相处"，说明青藏铁路非常重视生态保护。

6月，青海湖碧波涌动，唐古拉山风呼啸。从青海到西藏，数万青藏线铁路人努力拼搏，为青藏铁路7月1日的全线客车试运营而冲刺。让我们一起——

走近青藏铁路

本报讯　综合本报记者郅振璞、新华社记者任卫东、王圣志报道：举世瞩目的青藏铁路即将全面开通试运营，首批北京、上海、广州、成都、西宁等开往“世界屋脊”的高原旅客列车已整装待发。

进藏列车什么样？火车站建设进展如何？沿线脆弱生态环境怎样保护？记者将为您一一揭开这些悬念。

进藏列车　让乘客呼吸自如

缺氧，是登上高原旅客的“第一威胁”。进藏列车车厢内的氧气浓度、温度、压力可以保持均衡。

每节车厢的配置几乎与飞机一样，有两套供氧系统：一套是“弥散式”供氧，通过混合空调系统中的空气供氧，使每节车厢含氧量都保持在适当的水平，旅客如同进入“氧吧”；另一套是独立的接口吸氧，如果有旅客需要更多的氧气，可以随时用吸氧管呼吸，以免旅客出现高原反应。

为了保护沿途的高原环境，进藏客运列车采用了先进的真空集便和污水收集装置，严格实行定点排放垃圾和污物。

读后问题　旅客在列车上为什么不会缺氧？

沿线车站　每一个站都是风景

全长1142公里的青藏铁路格尔木至拉萨段一共设立45座车站。沿线车站已进入最后施工阶段。这些火车站，将独特的民族建筑风格与先进的现代施工理念融为一体，使各个火车站成为青藏铁路沿线一道道靓丽的风景线。

世界海拔最高的火车站——青藏铁路唐古拉车站综合楼主体工程全部完工，目前正进入紧张的车站装修阶段。

唐古拉车站建立在青藏高原白雪皑皑的唐古拉山脚下，海拔5068米，是青藏铁路最重要的旅游观光车站。车站站房综合楼造型非常独特，整体综合楼像一顶端放在地面上的“王冠”，气势磅礴。

海拔3600米的拉萨火车站是青藏铁路的终点站，也是全线最大的客货运输综合站。远远望去，犹如西藏名刹萨迦寺，散发出浓郁的民族建筑气息和“酥油”味儿。而走近车站站台，一座座“亭亭玉立”的雪白色站台无柱雨棚，则又增添了几分现代建筑的韵味。

据介绍，青藏铁路专门在沿线风景

秀丽的地段设立旅游观光车站，供乘客远眺近观。

读后问题　青藏铁路格尔木至拉萨段一共设立多少座车站？这里介绍了哪几个车站？它们都有什么特点？

生态保护　人与动物和谐相处

记者日前在可可西里五道梁采访时看到：夕阳映照可可西里草原，一列青藏铁路工程试验车缓缓爬上清水河特大桥，只见成群结队的藏羚羊在大桥两边或埋头吃草，或抬头凝望，或悠闲地从桥孔中穿过……

据审计署发布的公告显示，青藏铁路建设单位全面安排和落实了环保措施相关投资15.4亿元。“投入这么大的巨资从事铁路建设环保工作，这在中国铁路建设史上还是首次。”青藏铁路建设总指挥部指挥长黄弟福介绍说。

为了使环保工作贯彻到建设中的每一环节，青藏铁路在中国大型工程建设中首次引进了环保监理。

青藏铁路还填补了中国大型工程环保建设领域的多项空白。首次与铁路所经省区签订环保责任书；首次为野生动物修建迁徙通道；首次成功在高海拔地区移植草皮……

读后问题　列举一下青藏铁路的环保措施。

（《人民日报　海外版》2006年6月13日）

新闻词语、句式

一　新闻词语

据介绍、据审计署发布的公告显示　表示信息来源。

二　新闻句式

1. 长定语句

（1）缺氧，是登上高原旅客的“第一威胁”。

（2）使各个火车站成为青藏铁路沿线一道道靓丽的风景线。

（3）唐古拉车站建立在青藏高原白雪皑皑的唐古拉山脚下。

2. 并列项句

（1）首批北京、上海、广州、成都、西宁等开往“世界屋脊”的高原旅客列车已整装待发。

（2）进藏列车什么样？火车站建设进展如何？沿线脆弱生态环境怎样保护？

记者将为您一一揭开这些悬念。

（3）进藏列车车厢内的氧气浓度、温度、压力可以保持均衡。

3. **同位语句**

（1）综合本报记者郅振璞、新华社记者任卫东、王圣志报道

（2）青藏铁路建设总指挥部指挥长黄弟福介绍说。

成语

1. 举世瞩目	jǔshì zhǔmù	全世界都关注。
2. 整装待发	zhěng zhuāng dài fā	已经准备好，马上出发。
3. 融为一体	róng wéi yì tǐ	结合成一个整体。
4. 白雪皑皑	báixuě áiái	一片白雪。
5. 气势磅礴	qìshì pángbó	气势很大。
6. 亭亭玉立	tíngtíng yùlì	形容美女身材细长。
7. 远眺近观	yuǎntiào jìnguān	观看远处和近处。
8. 成群结队	chéngqún jiéduì	数量众多。

生词

1. 碧波	bìbō	（名）	绿色的波浪
2. 涌动	yǒngdòng	（动）	滚动
3. 呼啸	hūxiào	（动）	大风经过时发出巨大的声音
4. 拼搏	pīnbó	（动）	使出全部力气奋斗
5. 试运营	shìyùnyíng	（动）	非正式运行
6. 冲刺	chōngcì	（动）	进入最后阶段
7. 屋脊	wūjǐ	（名）	屋顶中间高起来的地方
8. 进展	jìnzhǎn	（动）	（事情）向前发展
9. 脆弱	cuìruò	（形）	禁不住挫折
10. 揭开	jiēkāi	（动）	打开
11. 悬念	xuánniàn	（名）	关切的心情

12.	自如	zìrú	（形）	活动没有不便
13.	缺氧	quē yǎng	（动）	缺少氧气
14.	威胁	wēixié	（动）	使人害怕
15.	浓度	nóngdù	（名）	含量
16.	均衡	jūnhéng	（形）	平衡
17.	配置	pèizhì	（动）	配备布置
18.	弥散式	mísànshì	（区）	向四处扩散的
19.	混合	hùnhé	（动）	混杂
20.	氧吧	yǎngbā	（名）	吸氧气的店
21.	接口	jiēkǒu	（名）	插座
22.	以免	yǐmiǎn	（连）	目的在于避免
23.	真空	zhēnkōng	（名）	没有空气的状态
24.	集便	jíbiàn	（区）	收集粪便的
25.	装置	zhuāngzhì	（名）	设备
26.	排放	páifàng	（动）	排出
27.	施工	shīgōng	（动）	按照设计来建设
28.	靓丽	liànglì	（形）	漂亮
29.	海拔	hǎibá	（名）	以平均海水面做标准的高度
30.	完工	wángōng	（动）	完成工程
31.	造型	zàoxíng	（名）	创造出来的物体的形象
32.	端放	duānfàng	（动）	端正地摆着
33.	王冠	wángguān	（名）	国王戴的帽子
34.	犹如	yóurú	（动）	好像
35.	名刹	míngchà	（名）	有名的寺庙
36.	散发	sànfā	（动）	向四处发出
37.	浓郁	nóngyù	（形）	浓重
38.	气息	qìxī	（名）	气味
39.	酥油	sūyóu	（名）	从牛奶或羊奶内提出来的脂肪
40.	韵味	yùnwèi	（名）	情趣
41.	秀丽	xiùlì	（形）	清秀美丽

42. 和谐	héxié	（形）	配合协调
43. 相处	xiāngchǔ	（动）	相互接触
44. 夕阳	xīyáng	（名）	傍晚时的太阳
45. 映照	yìngzhào	（动）	照射
46. 缓缓	huǎnhuǎn	（副）	慢慢
47. 藏羚羊	zànglíngyáng	（名）	一种被保护动物
48. 埋头	máitóu	（副）	专心地
49. 凝望	níngwàng	（动）	集中注意力看着远方
50. 悠闲	yōuxián	（形）	自由自在的样子
51. 审计署	shěnjìshǔ	（名）	审计的最高部门
52. 落实	luòshí	（动）	使实施
53. 贯彻	guànchè	（动）	完全实现
54. 环节	huánjié	（名）	相互联系的事物中的一个部分
55. 监理	jiānlǐ	（动）	监督管理
56. 填补	tiánbǔ	（动）	填进补足
57. 空白	kòngbái	（名）	以往工作没有达到的方面
58. 迁徙	qiānxǐ	（动）	迁移
59. 通道	tōngdào	（名）	可以往来的道路
60. 草皮	cǎopí	（名）	连土带草的一层

一、根据课文内容简单回答下列问题

1. 车厢内的两套供氧系统的作用有什么不同？
2. 进藏客运列车采用真空集便和污水收集装置的目的是什么？
3. 沿线火车站在建筑上具有什么特点？
4. 沿线火车站都是旅游观光站吗？
5. 在建设中，怎么来保证环保工作贯彻到建设中的每一环节？

二、问一下你的同桌，他（她）希望去西藏旅行吗？怎么去？坐飞机还是坐火车？为什么？

____

____

三、照例子写出下列动词更多的宾语

1. 修建铁路　修建______　修建______　修建______
2. 保持均衡　保持______　保持______　保持______
3. 排放垃圾　排放______　排放______　排放______
4. 采用新技术　采用______　采用______　采用______

四、选择合适的词语填进括号内

端放　海拔　缓缓　造型　采访　埋头　悠闲　映照

1. 唐古拉车站建立在青藏高原白雪皑皑的唐古拉山脚下，（　　）5068米，是青藏铁路最重要的旅游观光车站。车站站房综合楼（　　）非常独特，整体综合楼像一顶（　　）在地面上的“王冠”，气势磅礴。
2. 记者日前在可可西里五道梁（　　）时看到：夕阳（　　）可可西里草原，一列青藏铁路工程试验车（　　）爬上清水河特大桥，只见成群结队的藏羚羊在大桥两边或（　　）吃草，或抬头凝望，或（　　）地从桥孔中穿过……

五、用所给词语组成完整的句子

1. A. 野生动物　B. 修建　C. 青藏铁路　D. 迁徙通道　E. 为

句子______________________________

2. A. 最后施工　B. 沿线车站　C. 进入　D. 已　E. 阶段

句子______________________________

3. A. 至拉萨段　B. 格尔木　C. 45座车站　D. 设立　E. 一共

句子______________________________

4. A. 乘客　B. 车站　C. 供　D. 远眺近观　E. 旅游观光

句子 ____________________

5. A. 大桥　B. 吃草　C. 藏羚羊　D. 埋头　E. 在　F. 两边

句子 ____________________

6. A. 采用了　B. 进藏客运列车　C. 装置　D. 真空集便
   E. 先进　F. 的

句子 ____________________

7. A. 青藏铁路　B. 高海拔地区　C. 草皮　D. 移植　E. 成功
   F. 首次　G. 在

句子 ____________________

8. A. 青藏铁路　B. 举世瞩目　C. 试运营　D. 即将　E. 开通
   F. 全面　G. 的

句子 ____________________

9. A. 中国大型工程建设　B. 环保监理　C. 青藏铁路　D. 在
   E. 首次　F. 引进了　G. 中

句子 ____________________

10. A. 专门　B. 地段　C. 旅游观光车站　D. 青藏铁路　E. 设立
    F. 在　G. 风景秀丽的

句子 ____________________

六、请用所给的句子组成一段话，并标出标点符号

1. 句子

A. 这些火车站，将独特的民族建筑风格与先进的现代施工理念融为一体

B. 使各个火车站成为青藏铁路沿线一道道靓丽的风景线

C. 沿线车站已进入最后施工阶段

D. 全长 1142 公里的青藏铁路格尔木至拉萨段一共设立 45 座车站

语段 ____________________

____

2. 句子

A. 如果有旅客需要更多的氧气，可以随时用吸氧管呼吸，以免旅客出现高原反应

B. 通过混合空调系统中的空气供氧，使每节车厢含氧量都保持在适当的水平，旅客如同进入“氧吧”

C. 另一套是独立的接口吸氧

D. 一套是“弥散式”供氧

E. 每节车厢的配置几乎与飞机一样，有两套供氧系统

语段 ____

____

3. 句子

A. 在确定野生动物通道的数量和位置时，不仅征求了牧民意见

B. 青藏铁路真正成了人与动物的“和谐之路”

C. 这些通道符合藏羚羊、野牦牛等珍稀野生动物饮水、迁徙的习惯

D. 还请野生动物保护专家进行了论证

E. 建设单位为了不影响野生动物的生活和迁徙，在青藏铁路线上专门设置了野生动物通道

语段 ____

____

课文二

读前准备

选择对下列句子中画线词语的恰当解释

1. 过去，藏羚羊只要一听到车辆和人的声音，立即就会<u>逃之夭（yāo）夭</u>，一般在一公里内很难接近到藏羚羊。

逃之夭夭：A. 逃跑　　　　B. 不逃跑

2. 青藏铁路建设者对藏羚羊<u>关怀备至</u>，工程建设期间，不仅停工为藏羚羊让道，

还救护失散的野生动物。

关怀备至：A. 不太注意　　　　　　B. 非常关怀

3. 栖息于藏北高原的藏羚羊，每年春夏季节都会大规模由南向北长距离迁徙，五道梁至楚玛尔河一带是其必经之地。

栖息：　　A. 生活　　　　　　　　B. 工作

必经之地：A. 可能会经过的地方　　B. 一定会经过的地方

4. 总指挥部对野生动物通道重点地段进行全天候监测，摄像机全程记录了藏羚羊的迁徙状况。

全天候：　A. 在任何气候条件下　　B. 有时

青藏铁路成为人与动物“和谐之路”

读前问题　穿越可可西里的列车有没有给野生动物带来惊扰？

夕阳映照可可西里草原，一列青藏铁路工程试验车缓缓爬上清水河特大桥，只见成群结队的藏羚羊在大桥两边或埋头吃草，或抬头凝望，或悠闲地从桥孔中穿过……

这是记者日前在可可西里五道梁采访时见到的情景。穿越可可西里的列车并没有给栖息在这里的野生动物带来惊扰，从今年 5 月中旬开始，已经有 800 多只迁徙藏羚羊安全、顺利地通过了青藏铁路野生动物通道，野生动物已成为车窗外一道美丽的风景。

读前问题　青藏铁路建设者是怎么关心藏羚羊的？

“过去，藏羚羊只要一听到车辆和人的声音，立即就会逃之夭夭，一般在一公里内很难接近到藏羚羊。青藏铁路建设者对藏羚羊关怀备至，工程建设期间，不仅停工为藏羚羊让道，还救护失散的野生动物。现在，人们的关爱已经让藏羚羊渐渐淡忘血腥的过去，开始与人类亲密接触。”可可西里国家级自然保护区索南达杰保护站工作人员扎多说。

读前问题　青藏铁路建设单位为了不影响野生动物的生活和迁徙，采取了哪些措施？

可可西里自然保护区管理局局长才嘎说，建设单位为了不影响野生动物的生活和迁徙，在青藏铁路线上专门设置了野生动物通道。在确定野生动物通道的数量和位置时，不仅征求了牧民意见，还请野生动物保护专家进行了论证。这些通道符合藏羚羊、野牦牛等珍稀野生动物饮水、迁徙的习惯，青藏铁路真正成了人与动物的"和谐之路"。

栖息于藏北高原的藏羚羊，每年春夏季节都会大规模由南向北长距离迁徙，五道梁至楚玛尔河一带是其必经之地。为了保证它们自由迁徙，青藏铁路在这里设立了四处野生动物通道。其中长11.7公里的清水河特大桥和长4公里的楚玛尔河特大桥，采用"以桥代路"形式设计动物通道，共有近3000个桥孔可供野生动物通过。

青藏铁路建设总指挥部指挥长黄弟福说，青藏铁路全线设置的33处野生动物通道全部建成。在铁路设计时，对于穿越可可西里、羌塘等自然保护区的铁路线，尽可能采取了绕避方案；同时，根据沿线野生动物的生活习性、迁徙规律等，在相应的地段设置了野生动物通道，以保障野生动物的正常生活、迁徙和繁衍。

据青藏铁路总设计师李金城介绍，野生动物通道有桥梁下方、隧道上方及缓坡平交3种形式。对于高山山地动物群，主要采取隧道上方通过的通道形式；对于高寒草原草甸动物群，主要采取从桥梁下方和路基缓坡通过的通道形式。建设野生动物通道，在我国铁路建设史上还是首次。

青藏铁路建设总工程师赵世运说："总指挥部对野生动物通道重点地段进行全天候监测，摄像机全程记录了藏羚羊的迁徙状况。监测发现，大批量的藏羚羊通过青藏铁路野生动物通道迁徙，其中一次就有800多只藏羚羊穿过动物通道。可以说，藏羚羊已经度过了对青藏铁路的适应期。"

在青藏铁路线上，几乎所有国际上的动物通道主流模式都可以看到。以后，旅客们还将经常看到"当心！这里有藏羚羊""前方进入野生动物通道区域"等在国内其他交通干线上从未出现的交通标志。

（新华网 www.xinhuanet.com 2006年6月10日，记者　王圣志、侯德强）

读后分析讨论

一、根据课文判断正误

1. 穿越可可西里的列车没有给栖息在这里的野生动物带来惊扰。（　）
2. 藏羚羊只要一听到车辆和人的声音，立即就会逃之夭夭。（　）
3. 野生动物通道符合藏羚羊、野牦牛等珍稀野生动物饮水、迁徙的习惯。（　）
4. 栖息于藏北高原的藏羚羊，每年春夏季节都会大规模由北向南长距离迁徙。（　）

5. 野生动物通道有桥梁下方、隧道上方这两种形式。　（　　）

6. 总指挥部对野生动物通道重点地段有时要进行监测。　（　　）

二、找出课文中三个以上长定语句

____

____

三、请你站在藏羚羊的角度说说青藏铁路

____

____

第十一课

人民大会堂带头节能好

（环保—建筑·评论）

课文一

【教与学的提示】

话题背景

能源问题是一个全球性的问题，对中国来说，随着经济的高速发展，能源问题越来越突出，因此，节能已经成为全社会关注的焦点。

体　裁

本文的体裁是评论。

语篇分析

本文分三个部分。

第一部分（第一段）为引子，提出人民大会堂节能的重要意义。

第二部分（第二、三、五段）分别从中国的能源供求状况、中国制定的计划、《节约能源法》的执行情况以及本身存在的问题，具体说明节能的重要性。

第三部分（第六段）作出总结并提出希望。

人民大会堂带头节能好

从刚刚过去的第十六个全国“节能宣传周”传出的消息说，北京人民大会堂即将进行节能改造，在3到5年时间内将现有能耗指标下降20%。作为新中国成立初期的标志性建筑，人民大会堂的节能改造计划，表明建筑物能源节约问题已经成为全社会关注的一个焦点。

读后问题 人民大会堂的节能改造具有什么意义？

不少人曾自诩中国地大物博，节能问题一直没有引起人们足够的重视。随着经济的高速发展，能源问题已经越来越突出，并成为制约中国经济发展的“瓶颈”。据统计，我国万元GDP能耗由2001年的1.33吨标准煤，上升到2005年的1.43吨标准煤。2005年我国全社会能源消费总量已达到22.2亿吨标准煤，超出生产总量1.6亿吨。这就造成我国能源供求高度紧张，能源安全缺乏保障。

读后问题 中国的能源供求怎么样？

面对资源紧缺，节能已经显得尤为必要和迫切。作为中国的“第一建筑”——人民大会堂，带头将能耗指标下降20%，也彰显了国家降耗的决心，其象征意义和示范意义无疑是巨大的和积极的。国家“十一五”规划也明确提出：未来五年单位GDP能耗降低20%。这是我国首次将节能约束性指标纳入国民经济和社会发展的五年规划。

读后问题 面对资源紧缺，中国采取了什么措施？

虽然人民大会堂掀起了“带头”节能的行动，“十一五”规划也明确提出了单位GDP降低能耗的要求，但是节能降耗的道路任重而道远。从1998年1月1日起施行的《中华人民共和国节约能源法》(以下简称《节约能源法》)，对节约能源方面有很多具体的规定，但是，这些规定不少都成为了“摆设”。比如，《节约能源法》规定，固定资产投资工程项目的可行性研究报告，应当包括合理用能的专题论证。达不到合理用能标准和节能设计规范要求的项目，审批机关不得批准建设；项目建成后，达不到合理用能标准和节能设计规范要求的，不予验收。而近10年来，不断上马的各类工程项目中，没有一个单独因为节能设计不合格而被叫停。《节约能源法》还规定，禁止新建技术落后、耗能过高、严重浪费能源的工业项目，对落后的耗能过高的用能产品、设备实行淘汰制度。但在实际生产生活中，这些规定同样没有得到严格贯彻执行。

而且，目前国家对节能降耗的规定，一般还局限在工业领域，对建筑、交通、政府机构、公用事业等领域节能缺少具体规定。特别是近年来，房地产业发展迅猛，建筑耗能已经占到社会总能耗的1/3，而对这方面的节能法律几乎没有规定。全国人大财经委经济室副主任李命志认为，上世纪90年代制订的《节约能源法》，如今表现出诸多局限性，亟须修改完善。一个突出的问题是，对节能监管机制、体制的规定几乎是空白。没有规定明确的执法主体和监督主体，对节能行政主管部门法律地位及其管理责权的规定不够明确。

读后问题 《节约能源法》的本身存在什么问题？它的贯彻执行情况怎么样？

要么是节能降耗没有法律法规的规定，要么即使有了法律法规的规定，这些法律法规成了“摆设”。这就是目前我国节能降耗所面临的现状。节能降耗几乎成了一种无人监管的“自觉”行动。节能降耗关乎国家发展大局，关乎可持续发展，希望人民大会堂“带头”节能能起到应有的示范意义，在全国掀起一场节能降耗风暴。

读后问题 作者提出了什么希望？

（《市场报》2006年6月26日，作者 徐经胜）

新闻词语、句式

一 新闻词语

1. **据统计** 显示信息来源。
2. **“十一五”规划** 中国从1956年以后，每五年都有一个国民经济和社会发展的规划，从2006到2010年是第十一个五年规划，简称“十一五”规划。

二 新闻句式

1. **长定语句**

（1）从刚刚过去的第十六个全国“节能宣传周”传出的消息说，北京人民大会堂即将进行节能改造，在3到5年时间内将现有能耗指标下降20%。

（2）达不到合理用能标准和节能设计规范要求的项目，审批机关不得批准建设；项目建成后，达不到合理用能标准和节能设计规范要求的，不予验收。

(3) 对落后的耗能过高的用能产品、设备实行淘汰制度。

(4) 这就是目前我国节能降耗所面临的现状。

2. 并列项句

(1)《节约能源法》还规定，禁止新建技术落后、耗能过高、严重浪费能源的工业项目。

(2) 目前国家对节能降耗的规定，一般还局限在工业领域，对建筑、交通、政府机构、公用事业等领域节能缺少具体规定。

成语

1. 地大物博	dì dà wù bó	地方大，物产丰富。
2. 任重而道远	rèn zhòng ér dào yuǎn	任务很重，前进的路还很远。

生词

1. 节能	jiénéng	(动)	节约能源
2. 能耗	nénghào	(名)	能源的消耗
3. 指标	zhǐbiāo	(名)	计划中规定达到的目标
4. 自诩	zìxǔ	(动)	自己认为
5. 制约	zhìyuē	(动)	限制约束
6. 供求	gōngqiú	(名)	供应和需求
7. 保障	bǎozhàng	(动)	使不受侵犯和破坏
8. 紧缺	jǐnquē	(形)	供小于求
9. 尤为	yóuwéi	(副)	特别
10. 迫切	pòqiè	(形)	十分急切
11. 彰显	zhāngxiǎn	(动)	明确显示
12. 降耗	jiànghào	(动)	降低消耗
13. 示范	shìfàn	(动)	作出榜样
14. 摆设	bǎishè	(名)	没有实际用处的东西
15. 固定	gùdìng	(形)	不变化的

16. 资产	zīchǎn	（名）	财产
17. 可行性	kěxíngxìng	（名）	实行的可能性
18. 论证	lùnzhèng	（动）	证明
19. 审批	shěnpī	（动）	审查批准
20. 验收	yànshōu	（动）	检验接收
21. 上马	shàngmǎ	（动）	工程开始施工
22. 叫停	jiàotíng	（动）	使停止
23. 淘汰	táotài	（动）	因不符合要求而被去掉
24. 迅猛	xùnměng	（形）	速度快
25. 诸多	zhūduō	（区）	许多
26. 亟须	jíxū	（助动）	马上要
27. 监管	jiānguǎn	（动）	监督管理
28. 体制	tǐzhì	（名）	组织制度
29. 行政	xíngzhèng	（名）	机关等内部的管理工作
30. 责权	zéquán	（名）	责任和权利
31. 自觉	zìjué	（形）	自己有所认识而觉悟
32. 关乎	guānhū	（动）	关系到
33. 大局	dàjú	（名）	大的局面
34. 风暴	fēngbào	（名）	一种天气，比喻规模大而气势猛烈的事件或现象。在课文中指节能活动

练习

一、根据课文内容简单回答下列问题

1. 节能问题为什么一直没有引起人们的重视？
2. 中国万元 GDP 能耗，2005 年比 2001 年增加了多少？
3. 人民大会堂为什么要带头节能？
4. 近 10 年来，不断上马的各类工程项目中，没有一个单独因为节能设计不合格而被叫停。这说明了什么？

5.《节约能源法》的一个突出问题是什么？

6. 节能降耗的重要性体现在什么地方？

二、问一下你的同桌，根据他（她）的观察，在生活中有哪些节能或浪费能源的事情

____

____

三、照例子写出下列动词更多的宾语

1. 缺乏保障	缺乏______	缺乏______	缺乏______
2. 掀起了节能的行动	掀起了______	掀起了______	掀起了______
3. 提出要求	提出______	提出______	提出______
4. 实行淘汰制度	实行______	实行______	实行______

四、选择合适的词语填进括号内

明确　　决心　　纳入　　下降　　显得　　无疑

面对资源紧缺，节能已经（　　）尤为必要和迫切。作为中国的“第一建筑”——人民大会堂，带头将能耗指标（　　）20%，也彰显了国家降耗的（　　），其象征意义和示范意义（　　）是巨大的和积极的。国家“十一五”规划也（　　）提出：未来五年单位GDP能耗降低20%。这是我国首次将节能约束性指标（　　）国民经济和社会发展的五年规划。

五、用所给词语组成完整的句子

1. A. 改造　　B. 进行　　C. 人民大会堂　　D. 即将　　E. 节能

句子______________________________

2. A. 大局　　B. 节能　　C. 降耗　　D. 关乎　　E. 国家发展

句子______________________________

3. A. 节约能源方面　　B.《节约能源法》　　C. 具体的规定　　D. 有
E. 很多　　F. 对

句子 ____________________

4. A. 社会总能耗　B. 占到　C. 建筑耗能　D. 1/3　E. 已经
F. 的

句子 ____________________

5. A. 贯彻执行　B. 严格　C. 得到　D. 规定　E. 没有
F. 这些

句子 ____________________

6. A. 节能问题　B. 足够的重视　C. 人们　D. 引起　E. 没有
F. 一直

句子 ____________________

7. A. 节能问题　B. 一个焦点　C. 全社会关注　D. 的　E. 成为
F. 已经

句子 ____________________

8. A. 节能　B. 人民大会堂　C. 示范意义　D. 起到　E. 能
F. 带头

句子 ____________________

9. A. 中国　B. 节能约束性指标　C. 五年规划　D. 纳入　E. 将
F. 首次

句子 ____________________

10. A. 随着　B. 经济的高速发展　C. 能源问题　D. 突出
E. 越来越　F. 已经

句子 ____________________

六、请用所给的句子组成一段话，并标出标点符号

1. 句子

A. “十一五”规划也明确提出了单位 GDP 降低能耗的要求

B. 但是，这些规定不少都成为了“摆设”

C. 从 1998 年 1 月 1 日起施行的《中华人民共和国节约能源法》，对节约能源方面有很多具体的规定

D. 虽然人民大会堂掀起了“带头”节能的行动

E. 但是节能降耗的道路任重而道远

语段 ______________________________

____

2. 句子

A. 特别是近年来，房地产业发展迅猛

B. 而对这方面的节能法律几乎没有规定

C. 对建筑、交通、政府机构、公用事业等领域节能缺少具体规定

D. 建筑耗能已经占到社会总能耗的 1/3

E. 目前国家对节能降耗的规定，一般还局限在工业领域

语段 ______________________________

____

3. 句子

A. 因此芬兰十分重视开发生物能源

B. 但有着丰富的森林资源

C. 在利用可再生能源特别是生物能源方面走在世界前列

D. 芬兰无油无煤

语段 ______________________________

____

课文二

芬兰采取有力措施促进节能

读前问题 芬兰的能源情况具有什么特点？

新华网赫尔辛基6月17日电（记者**赵长春**）芬兰地处北欧，冬季漫长，气候寒冷，不仅民用能耗高，传统的森林工业和冶金工业也是高能耗产业，使芬兰成为世界上人均能耗最多的国家之一。而且，芬兰的能源资源匮乏，能源消费主要依赖进口。为此，芬兰一直十分重视节能工作，长期致力于提高能源的生产和利用效率，并在可再生能源和节能技术开发的同时，注重对公民进行节能教育。

读前问题 芬兰的建筑物在设计上有什么特点？

漫长的冬季使芬兰的供暖能耗很大，因此芬兰非常重视建筑物的绝热，从房屋设计开始就考虑到要实现节能最优化。芬兰近年来新建的建筑物均采用新型绝热墙体材料，并增加墙的厚度，安装二层或三层玻璃窗，每个房间的供热装置安装自动调节阀门，可以根据外界温度变化自动调节暖气供应。这些措施可使建筑物热能消耗减少10%到15%。在城镇等人口稠密区域，芬兰多采用集中供暖方式，利用热电厂发电过程中产生的余热将水加热，经管道统一输送到住宅中。这种电热联产和集中供暖的做法不仅提高了燃料利用率，而且可减少环境污染，使城市空气质量得到明显改善。

读前问题 芬兰政府是怎么支持企业节能的？

对于企业在节能和利用可再生能源方面的措施和项目，芬兰政府部门一直给予积极支持。芬兰贸工部设有专门的扶持基金，对这类项目提供的资金支持一般占项目总费用的25%，最高可达40%。在政府政策引导和资金扶持下，多年来，芬兰企业不断改进现有的工业生产流程，采用高能效生产新工艺，明显提高了能源利用率。

读前问题 芬兰政府为什么要收取能源税？

芬兰是世界上第一个根据矿物燃料中碳含量收取能源税的国家。收取能源税的目的是控制能耗的增长，并引导能源生产和消耗朝着减少二氧化碳排放量的方向发展。芬兰每年收取的能源税达到近30亿欧元，约占芬兰整个税收的9%。能源税的收入用于支持能源技术的开发和应用，进一步提高了能源的使用效率。

读前问题　芬兰是怎么利用可再生能源的？

芬兰无油无煤，但有着丰富的森林资源。因此芬兰十分重视开发生物能源，在利用可再生能源特别是生物能源方面走在世界前列。目前，芬兰各种可再生能源使用量已占芬兰整个能源消耗量的1/4。这些可再生能源主要包括：利用造纸工业在生产中产生的生物淤泥和废木料作燃料，利用水力和风力发电以及太阳能等。在芬兰，可回收的生物燃料、沼气、生物淤泥的使用近年来大大增加，能源作物的推广应用也进入了示范阶段。为保证经济可持续发展，芬兰还积极开发多样化能源产品，并将核能、水电、风能和可再生能源的扩大使用作为未来能源发展的重点。

读前问题　芬兰政府是怎么开展国民节能教育的？

芬兰政府很注重国民节能教育。自1996年起，芬兰每年都要举办“全国节能周”活动，政府部门、企业、机构和团体举行以节能为主题的研讨会、演示会和展览会，并开展节能方面的咨询和培训。这些形式多样、内容丰富的活动，展示了日常生活与能源消耗的密切关系，增强了公民的节能意识。芬兰全国基础学校也利用节能周对学生进行节能必要性教育，使孩子们从小树立节能意识。

（新华网 www.xinhuanet.com
2006年6月17日）

读后分析讨论

一、根据课文判断正误

1. 芬兰是世界上人均能耗最多的国家。（　）
2. 芬兰长期致力于提高能源的生产和利用效率。（　）
3. 芬兰非常重视建筑物的绝热。（　）
4. 在城镇等人口稠密区域，芬兰都采用集中供暖方式。（　）
5. 芬兰企业依靠政府的资金不断改进现有的工业生产流程，采用高能效生产新工艺，明显提高了能源利用率。（　）
6. 能源税的收入主要用于支持能源技术的开发和应用，进一步提高了能源的使用效率。（　）
7. 芬兰各种可再生能源使用量已占芬兰整个能源消耗量的1/4。（　）
8.《全国节能周》展示了日常生活与能源消耗的密切关系，增强了公民的节能意识。（　）

二、找出课文中三个以上长定语句

______

______

三、根据你的见闻，说说你的国家或所居住的地方是怎么节能的

______

______

第十二课

一位农民的环保情怀

（环保—农村·通讯）

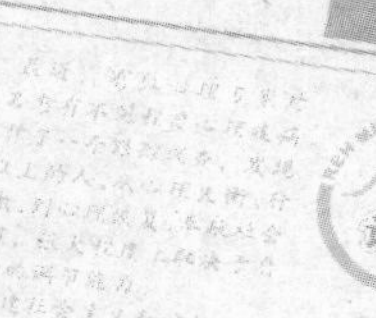

课文一

【教与学的提示】

话题背景

经济发展了，可是环境却污染了。环保问题是一个全球关注的大问题。田桂荣，一个中国的普通农民，可是在环保方面却作出了杰出的贡献。

体　裁

本文的体裁为通讯。

语篇分析

本文分两大部分。

第一部分为引子，概括介绍田桂荣所做的事情以及所获得的荣誉。

第二部分分三个小标题。

第一个小标题："选择环保：生命中的偶然"，记叙她是怎么走上环保之路的。

第二个小标题："痴迷环保：坚强的毅力"，记叙她在环保路上所遇到的困难。

第三个小标题："她的梦想：蓝天白云"，说明她从事环保的理想。

一位农民的环保情怀

她只是一位农民，但是却有美国《洛杉矶时报》、日本朝日电视台、中央电视台、新华社等中外160多家新闻媒体专程对她采访。

她只是一位农民，但却被耀眼的光环所围绕——曾荣获2001年福特汽车环保奖、2001年美国格雷特曼奖、2002年第二届保护母亲河奖、2005年绿色中国年度人物等数十项大奖和荣誉。

她只是一位普通的农民，但却做出了令人刮目的事情。1998年起，她个人自费20多万元回收废旧电池70多吨；2001年9月建立全国首家由农民自办的环保网站“田桂荣环保网”；2002年创建全国首家民间环保社团——新乡环保志愿者协会，至今已有会员1.3万人；她还设立河南省第一条民间环保举报热线，组织开展“绿色有你更精彩”、“保护臭氧层万人签名”等25项大型环保公益活动。

她叫田桂荣，1951年出生，河南省新乡县范岭村人。她是怎样一个人？是什么力量促使她执著于公益环保事业？日前，记者对她进行了采访。

读后问题　这个名叫田桂荣的农民有什么特别之处？

选择环保：生命中的偶然

1998年被媒体称为田桂荣人生的拐点。那年夏天，已从事8年电池专卖、并成为当地有名的“电池大王”的她偶然在报纸上看到一篇文章《电池虽小污染大》，说的是一节一号电池烂在地里，能使1平方米的土地失去使用价值；一粒纽扣电池能污染60万立方水，相当于一个人一生的饮水量。

简单的推算使田桂荣感到震撼：我一年要卖上百万节电池，如果埋到地里，那么将污染100万平方米的土地！多么可怕的后果啊！田桂荣决定回收废旧电池。

读后问题　田桂荣为什么会作出回收废旧电池的决定？

一篇小小的文章魔法般打开了田桂荣人生的另一页：投身公益事业，为环境保护奔走呼告。

她用绿条幅制作了3000面三角旗，写上“保护地球、保护家园”和自己回收废旧电池的地址和电话，还制作了600只废旧电池回收箱、5万张环保倡议书，到新乡市各学校发放。她还在《新乡日报》上以个人名义发出了题为《不要再糟蹋地球了》的倡议书。

越是深入地了解环保知识，田桂荣越是感到环保的重要。“臭氧层被破坏，天上有个大窟窿!”、“母亲河受到污染，多少辈人喝过的河水现在连牲口喝了都会得病!”污染的严重危害深深撞击着田桂荣，她对环境保护几乎到了狂热的地步，她生意不做家不管，一有机会，就向人宣讲环境污染的危害，攒的钱基本都贴在环保上了。

2001年福特环保奖的颁发，更使田桂荣坚信这条路走对了。“但是一个人力量毕竟太小，如果能吸引更多的人参与，自己就不再是孤军奋战了，就会有更多的人来和自己一起关注环境、宣传环保，就会有更大的力量做一些实实在在的事。”2001年底，田桂荣个人投资2万多元创建了“田桂荣环保网”，向全社会宣传环保知识和绿色理念；2002年2月，她又自费3万元成立了新乡市环境保护志愿者协会。

读后问题 田桂荣是怎么做的？

痴迷环保：坚强的毅力

环保路上，田桂荣走得并不轻松。因痴迷于回收废旧电池，生意日趋滑坡，家里的矛盾逐渐升级，她有时偷偷站在阳台上闷声哭，丈夫看见时就说，“哭啥？你活该！那是你自找的。”社会上也有些风言风语，“她到底图啥哩?”家人的不支持，社会上的不理解，还有做事时的艰辛使她最难的时候，一个人跑到太行山里哭，“太行山，你是我的靠山，只有地球理解我”，哭罢，她还继续干。“想干点事哪能没困难？几百年后，子孙后代会理解咱的。”

始终困扰田桂荣的还有经费问题，但她也没退缩。从回收废旧电池到筹建网站、协会再到组织宣传调研活动，方方面面都需要钱，8年来，她投入环保事业的钱粗略估计已达38万多，除了8万多元各种奖金和捐款外，大部分活动经费都是她自掏腰包。“有没有骑虎难下的感觉?”“骑虎难下？那就不下了吧。”“如果有一天，你的环保路走不下去了，你会怎么办?”“不会。”她坚定地说：“以前是找不到自己的舞台，现在找到了舞台，找到了自身的价值，就像人生找到航标一样，拼也要拼到底。”

她说，也许我做的对整个环保事业起不了多大的作用，但是我希望在河南民间环保事业上，起到带头作用。田桂荣仍在回收旧电池，她说：“收一个，就从子孙后代碗里多捞出一点毒药。”令她欣慰的是：“随着自己的事迹越来越得到社会的认可，家人和周围的人都逐渐理解了我。现在像是到了环保宣传的丰收季节，每天都有人主动来送废电池，向协会反映污染问题或者要求加入协会。”

读后问题 田桂荣遇到了哪些困难？结果怎么样？

她的梦想：蓝天白云

田桂荣有一个梦想。“你看我穿的这

身‘蓝天白云’，我的目标就是天更蓝、云更白，这代实现不了还有下一代。”田桂荣说，从她开始回收废旧电池起，蓝底白花的衣服已经穿了6件了。

让子孙后代拥有更蓝的天更白的云，让我们的地球更洁净，这就是一位农民朴素而又崇高的情怀。

读后问题　田桂荣有什么梦想？

（《农民日报》2006年5月25日，有删改）

新闻句式

1. 长定语句

（1）那年夏天，已从事8年电池专卖、并成为当地有名的“电池大王”的她偶然在报纸上看到一篇文章《电池虽小污染大》。

（2）她用绿条幅制作了3000面三角旗，写上“保护地球、保护家园”和自己回收废旧电池的地址和电话。

（3）8年来，她投入环保事业的钱粗略估计已达38万多。

（4）让子孙后代拥有更蓝的天更白的云，让我们的地球更洁净，这就是一位农民朴素而又崇高的情怀。

2. 并列项句

（1）她只是一位农民，但是却有美国《洛杉矶时报》、日本朝日电视台、中央电视台、新华社等中外160多家新闻媒体专程对她采访。

（2）她只是一位农民，但却被耀眼的光环所围绕——曾荣获2001年福特汽车环保奖、2001年美国格雷特曼奖、2002年第二届保护母亲河奖、2005年绿色中国年度人物等数十项大奖和荣誉。

（3）她只是一位普通的农民，但却做出了令人刮目的事情。1998年起，她个人自费20多万元回收废旧电池70多吨；2001年9月建立全国首家由农民自办的环保网站“田桂荣环保网”；2002年创建全国首家民间环保社团——新乡环保志愿者协会，至今已有会员1.3万人；她还设立河南省第一条民间环保举报热线，组织开展“绿色有你更精彩”、“保护臭氧层万人签名”等25项大型环保公益活动。

成语

1. 奔走呼告	bēnzǒu hūgào	到处宣传。
2. 孤军奋战	gūjūn fènzhàn	孤立无援的军队单独作战。
3. 风言风语	fēngyán fēngyǔ	没有根据的话。
4. 骑虎难下	qí hǔ nán xià	比喻做事遇到困难，但又不得不做下去。

生词

1. 媒体	méitǐ	（名）	指报纸、电视、网络等
2. 专程	zhuānchéng	（副）	专门去
3. 采访	cǎifǎng	（动）	记者采写新闻
4. 耀眼	yàoyǎn	（形）	光线强烈，使人眼花
5. 光环	guānghuán	（名）	会发光的环，这里指荣誉
6. 绿色	lǜsè	（区）	符合环保要求的
7. 年度	niándù	（名）	每年一次
8. 荣誉	róngyù	（名）	光荣的名誉
9. 刮目	guāmù	（动）	改变眼光
10. 回收	huíshōu	（动）	把废旧物品收回来
11. 废旧	fèijiù	（区）	废弃的和陈旧的
12. 社团	shètuán	（名）	社会团体
13. 协会	xiéhuì	（名）	一种群众团体
14. 举报	jǔbào	（动）	检举报告
15. 热线	rèxiàn	（名）	便于联系的电话
16. 臭氧层	chòuyǎngcéng	（名）	吸收太阳紫外线的大气层
17. 公益	gōngyì	（区）	符合公众利益的
18. 执著	zhízhuó	（形）	坚持做某事
19. 拐点	guǎidiǎn	（名）	拐弯的地方，比喻事业的转折点
20. 烂	làn	（形）	腐烂
21. 纽扣电池	niǔkòu diànchí		像纽扣一样大的电池
22. 推算	tuīsuàn	（动）	根据已有的数据计算出有关的数值

23. 震撼	zhènhàn	（动）	震动
24. 后果	hòuguǒ	（名）	不好的结果
25. 魔法	mófǎ	（名）	妖魔的法术
26. 投身	tóushēn	（动）	献身出力
27. 条幅	tiáofú	（名）	直挂的写有字的长条
28. 制作	zhìzuò	（动）	做
29. 倡议书	chàngyìshū	（名）	建议大家一起做某事的文体
30. 名义	míngyì	（名）	做某事时用的名称
31. 糟蹋	zāota	（动）	破坏
32. 窟窿	kūlong	（名）	洞
33. 牲口	shēngkou	（名）	家里养的动物
34. 危害	wēihài	（动/名）	使受破坏/使受到的破坏
35. 撞击	zhuàngjī	（动）	使震动
36. 狂热	kuángrè	（形）	极度热情
37. 地步	dìbù	（名）	程度
38. 攒钱	zǎn qián	（动）	积累钱
39. 颁发	bānfā	（动）	授给
40. 坚信	jiānxìn	（动）	坚决相信
41. 痴迷	chīmí	（动）	深深迷恋
42. 毅力	yìlì	（名）	不变的意志
43. 滑坡	huápō	（动）	从上面滑向下面，比喻下降
44. 闷声	mēnshēng	（副）	不发出声音
45. 活该	huógāi	（动）	应该得到某个不好的结果
46. 自找	zìzhǎo	（动）	自己找来
47. 图	tú	（动）	谋求
48. 艰辛	jiānxīn	（形）	艰难辛苦
49. 靠山	kàoshān	（名）	比喻可依靠的人或物
50. 罢	bà	（助）	完
51. 退缩	tuìsuō	（动）	向后退
52. 筹建	chóujiàn	（动）	筹划建立

53. 粗略	cūlüè	（形）	大概
54. 掏腰包	tāo yāobāo		拿出钱
55. 坚定	jiāndìng	（形）	坚持不变
56. 舞台	wǔtái	（名）	比喻表现个人能力的处所
57. 航标	hángbiāo	（名）	比喻行为的方向
58. 捞	lāo	（动）	从水里拿出来
59. 毒药	dúyào	（名）	有毒的药物
60. 欣慰	xīnwèi	（形）	心中感到安慰
61. 事迹	shìjì	（名）	好的事情
62. 丰收	fēngshōu	（动）	收成好；收获大
63. 洁净	jiéjìng	（形）	整洁干净
64. 崇高	chónggāo	（形）	高尚
65. 情怀	qínghuái	（名）	含有某种感情的心境

一、根据课文内容简单回答下列问题

1. 田桂荣为什么能获得那么多大奖？
2. 田桂荣在收废电池以前从事什么工作？
3. 为什么说田桂荣对环境保护达到了疯狂的地步？
4. 田桂荣创建“田桂荣环保网”的目的是什么？
5. 田桂荣为什么要穿蓝底白花的衣服？
6. 你认为课文中哪句话最能体现田桂荣对环保工作的态度？

二、解释画线词语，理解句子的意思

1. 她只是一位农民，但却被耀眼的光环所围绕。

   光环：

2. 她只是一位普通的农民，但却做出了令人刮目的事情。

   刮目：

3. 1998年被媒体称为田桂荣人生的拐点。

拐点：

4. 一篇小小的文章魔法般打开了田桂荣人生的另一页：投身公益事业，为环境保护奔走呼告。

另一页：

5. 以前是找不到自己的舞台，现在找到了舞台，找到了自身的价值，就像人生找到航标一样，拼也要拼到底。

舞台：　　　　　　　　航标：

三、问一下你的同桌，他（她）对田桂荣的做法有什么看法

____

____

四、照例子写出下列动词更多的宾语

1. 回收废旧电池　回收______　回收______　回收______
2. 投身公益事业　投身______　投身______　投身______
3. 宣传环保　宣传______　宣传______　宣传______
4. 筹建网站　筹建______　筹建______　筹建______

五、选择合适的词语填进括号内

贴　窟窿　狂热　撞击　感到　机会　牲口

越是深入地了解环保知识，田桂荣越是（　　）环保的重要。"臭氧层被破坏，天上有个大（　　）!"、"母亲河受到污染，多少辈人喝过的河水现在连（　　）喝了都会得病!"污染的严重危害深深（　　）着田桂荣，她对环境保护几乎到了（　　）的地步，她生意不做家不管，一有（　　），就向人宣讲环境污染的危害，攒的钱基本都（　　）在环保上了。

六、用所给词语组成完整的句子

1. A. 哭　B. 跑到　C. 一个人　D. 山里　E. 她

句子______________________________

2. A. 田桂荣　B. 经费问题　C. 困扰　D. 始终　E. 着

句子 ____________________

3. A. 田桂荣　B. 旧电池　C. 在　D. 仍　E. 回收

句子 ____________________

4. A. 偷偷　B. 闷声哭　C. 她　D. 在阳台上　E. 站

句子 ____________________

5. A. 我　B. 理解　C. 人　D. 逐渐　E. 的　F. 周围

句子 ____________________

6. A. 三角旗　B. 绿条幅　C. 她　D. 用　E. 3000 面　F. 制作了

句子 ____________________

7. A. 污染问题　B. 环保协会　C. 经常　D. 有人　E. 反映
F. 向

句子 ____________________

8. A. 废电池　B. 每天　C. 来送　D. 有人　E. 主动　F. 都

句子 ____________________

9. A. 污染　B. 纽扣电池　C. 水　D. 一粒　E. 60 万立方
F. 能

句子 ____________________

10. A. 洁净　B. 地球　C. 让　D. 更　E. 我们　F. 的

句子 ____________________

七、请用所给的句子组成一段话，并标出标点符号

1. 句子

A. 每天都有人主动来送废电池

B. 向协会反映污染问题或者要求加入协会

C. 现在像是到了环保宣传的丰收季节

D. 随着自己的事迹越来越得到社会的认可，家人和周围的人都逐渐理解了我

语段 ____

____

2. 句子

A. 我一年要卖上百万节电池

B. 田桂荣决定回收废旧电池

C. 简单的推算使田桂荣感到震撼

D. 多么可怕的后果啊

E. 如果埋到地里，那么将污染 100 万平方米的土地

语段 ____

____

3. 句子

A. 田桂荣出名了

B. 这时，田桂荣开始感到压力和苦闷了

C. 2001 年，田桂荣收的废旧电池已达 20 余吨

D. 伴随出名而来的是，四面八方的电池都朝她这里汇集

E. 随着废电池越收越多，媒体报道也越来越多

F. 堆满了她的店铺和住房

语段 ____

____

课文二

"绿领"休闲渐成时尚

读前问题　那句描写绿领生活特征的顺口溜是什么？

一个新兴族群正在兴起——绿领。有一句顺口溜略带夸张地描述了绿领们的生活特征：下班关手机，点菜要维 C，周末必出游，随手带垃圾。

读前问题　哪些人属于绿领？

有调查显示，“绿领”们的年龄普遍年轻化，他们多出生于上世纪70年代至80年代初。这个群体依靠自己的教育背景，在30岁甚至20多岁时就已经拥有了前一代人四五十岁才能拥有的财富和生活质量，而年轻的身体和新锐的心态使得他们更容易走进户外生活，加入到“绿领”的行列中来。

“小山户外”负责人李万军也是绿领一族，想当年拼命工作，身体变差才意识到忽略了很多。“我开始参加户外运动，身体好了，工作效率提高了，心态也平和了许多。”尝到了甜头的李万军，干脆彻底投身户外俱乐部，让更多的人加入到绿领的健康生活中来。在他的带动下，身边的朋友出现了越来越多的绿领。

读前问题　绿领常常参加哪些活动？

绿领们追求人与人的和谐，热心助人、热心公益。广州某房地产公司老总、车友网负责人邓俊山时不时会组织一些公益活动。“我们在韶关有点对点的助学，我资助一个初中学生已经3年了。”他说，在自己能力范围内帮助别人、关爱他人，自己的心灵也得到充实，生活更精彩，工作起来也更有活力。

绿领们追逐人与自然的和谐，走到户外，亲近自然。“大自然需要去尊敬和敬畏”，“携程”某分公司总经理丁汉说。当初学潜水时，教练给大家立的第一条规矩就是：不可以从海底获取任何一件生物，不能让海里生物脱离水面！

丁汉算是典型绿领，除非特殊情况，他每星期必定“户外”一下——驾滑翔伞、潜水或者滑雪。“很轻松，在大自然里，人的社会符号消失了。我潜在水里，鱼儿们并不怕我，它们把我也看成条鱼，而不是什么经理之类。”

读前问题　是什么催旺了绿领这种生活方式？

是什么催旺了绿领这种生活方式？中山大学社会学系教授王宁这样看：“现代化的生活节奏，是强制性的、压抑性的、机械性的、重复性的。在这些压力下，人们就有一种回归自然的需求和渴望。”

越来越多的都市人“绿领”了。北京人成立了个绿领俱乐部，发起人说，俱乐部以“快乐、健康、关爱”为宗旨，通过组织时尚聚会、休闲运动、主题旅游、慈善公益事业等活动，让志同道合的朋友们在轻松愉快的氛围中享受生活的乐趣，追求身心的健康，关爱彼此，回报社会。

对此，王宁教授评价说，这种生活方式很好，很健康，是社会的进步。

“如果说传统的白领、灰领、金领是以经济实力与社会地位划分，那么‘绿领’则更倾向于一种内在的品质特征：热爱生活，崇尚健康时尚，酷爱户外运动，支持公益事业，善待自己的同时也善待环境。”《小康》杂志社社长舒富民认为，“绿领”生活不应只是少数人的时尚，更不应永远只是一部分人的标志。

（《今日家庭报》2006年6月8日，记者　王雷、张颀，有改动）

读后分析讨论

一、根据课文判断正误

1. 绿领们的年龄普遍年轻化，他们都出生于上个世纪70年代至80年代初。（　）
2. 绿领们追求人与人的和谐，热心助人、热心公益。（　）
3. 绿领们追逐人与自然的和谐，走到户外，亲近自然。（　）
4. 现代化的生活节奏催旺了绿领这种生活方式。（　）
5. 绿领俱乐部以“快乐、健康、关爱”为目的。（　）
6. 绿领是以经济实力来划分的。（　）

二、找出课文中三个以上长定语句

____

____

三、请比较一下田桂荣与“绿领”的不同

____

____

单元复习四

一 判断所给词语放在句中哪个位置上最恰当

1. A保护沿途的高原环境，B进藏客运列车C采用了先进的真空集便和D污水收集装置。（　　）
为了
2. 青藏铁路建设单位全面安排A和落实B环保措施C相关投资D15.4亿元。（　　）
了
3. 现在，A人们的关爱已经B藏羚羊渐渐淡忘血腥的过去，C开始与D人类亲密接触。（　　）
让
4. A高山山地动物群，主要采取B隧道上方通过的C通道形式D。（　　）
对于
5. 随着A经济的高速B发展，C能源问题已经D突出。（　　）
越来越
6. 人民大会堂的A节能改造计划，表明B建筑物能源节约问题C成为D全社会关注的一个焦点。（　　）
已经
7. 芬兰A一直B重节能工作,C长期致力于D提高能源的生产和利用效率。（　　）
十分
8. 环保路上，A田桂荣B走得C不D轻松。（　　）
并
9. 收A一个旧电池，就从子孙后代碗里B捞C出D一点毒药。（　　）
多
10. “绿领”生活不应只是A少数人的时尚,B更不C应D只是一部分人的标志。（　　）
永远

二 选择恰当的词语填空

1. 为了使环保工作贯彻到建设中的每一环节，青藏铁路在中国大型工程建设

（　　）首次引进了环保监理。

A. 里　　B. 下　　C. 上　　D. 中

2. 监测发现，大批量的藏羚羊通过青藏铁路野生动物通道迁徙，其中一次就有800多（　　）藏羚羊穿过动物通道。

A. 根　　B. 张　　C. 只　　D. 部

3. 在青藏铁路线上，几乎所有国际上的动物通道主流模式（　　）可以看到。

A. 又　　B. 都　　C. 不　　D. 没

4. 近10年来，不断上马的各类工程项目中，没有一个单独（　　）节能设计不合格而被叫停。

A. 因为　　B. 为　　C. 为了　　D. 因此

5. 这种电热联产和集中供暖的做法（　　）提高了燃料利用率，（　　）可减少环境污染，使城市空气质量得到明显改善。

A. 虽然……但是……　　B. 不但……而且……

C. 不仅……反而……　　D. 哪怕……也……

6. 能源税的收入用于支持能源技术的开发（　　）应用，进一步提高了能源的使用效率。

A. 并　　B. 和　　C. 又　　D. 而

7.（　　）能吸引更多的人参与，自己（　　）不再是孤军奋战了。

A. 不但……而且……　　B. 一方面……另一方面……

C. 如果……就……　　D. 虽然……但是……

8. 当初学潜水时，教练（　　）大家立的第一条规矩就是：不可以从海底获取任何一件生物，不能让海里生物脱离水面！

A. 给　　B. 从　　C. 在　　D. 当

9. 在这些压力（　　），人们就有一种回归自然的需求和渴望。

A. 中　　B. 上　　C. 下　　D. 里

10. 2001年底，田桂荣个人投资两万多元创建了“田桂荣环保网”，（　　）全社会宣传环保知识和绿色理念。

A. 通过　　B. 经　　C. 由　　D. 向

三 选择与画线词语意思最接近的解释

1. 车站站房综合楼造型非常独特，整体综合楼像一顶端放在地面上的“王冠”，气势磅礴。

A. 比较小 B. 一般 C. 很大的样子 D. 很小的样子

2. 青藏铁路还填补了中国大型工程环保建设领域的多项空白。首次与铁路所经省区签订环保责任书；首次为野生动物修建迁徙通道；首次成功在高海拔地区移植草皮……

A. 以前没有达到的地方 B. 以前已经达到的地方

C. 现在没有达到的地方 D. 没有内容

3. 根据沿线野生动物的生活习性、迁徙规律等，在相应的地段设置了野生动物通道，以保障野生动物的正常生活、迁徙和繁衍。

A. 固定 B. 迁移 C. 生活 D. 生物

4. 房地产业发展迅猛，建筑耗能已经占到社会总能耗的1/3，而对这方面的节能法律几乎没有规定。

A. 厉害 B. 马上 C. 速度慢 D. 速度快

5. 不少人曾自诩中国地大物博，节能问题一直没有引起人们足够的重视。

A. 别人以为 B. 自己以为 C. 大家都这样想 D. 大家都这么做

6. 漫长的冬季使芬兰的供暖能耗很大，因此芬兰非常重视建筑物的绝热，从房屋设计开始就考虑到要实现节能最优化。

A. 使热量交换 B. 不使热量交换 C. 热量 D. 断绝

7. 因痴迷于回收废旧电池，生意日趋滑坡，家里的矛盾逐渐升级。

A. 发达 B. 衰落 C. 兴旺 D. 发财

8. 2001年福特环保奖的颁发，更使田桂荣坚信这条路走对了。

A. 授予奖励 B. 发布 C. 发动 D. 发现

9. “有没有骑虎难下的感觉？”“骑虎难下？那就不下了吧。”

A. 没有遇到麻烦 B. 没有遇到困难 C. 长期遇到困难 D. 中途遇到困难

10. 在自己能力范围内帮助别人、关爱他人，自己的心灵也得到充实，生活更精彩，工作起来也更有活力。

A. 毅力 B. 生命力 C. 判断力 D. 能力

四 快速阅读各段文字，根据内容选择问题的唯一恰当的答案

1. 海拔3600米的拉萨火车站是青藏铁路的终点站，也是全线最大的客货运输综合站。远远望去，犹如西藏名刹萨迦寺，散发出浓郁的民族建筑气息和

“酥油”味儿。而走近车站站台，一座座“亭亭玉立”的雪白色站台无柱雨棚，则又增添了几分现代建筑的韵味。

这段文字的主要内容是什么？

A. 介绍拉萨　　B. 介绍拉萨火车站

C. 介绍萨迦寺　　D. 介绍站台

2. 芬兰无油无煤，但有着丰富的森林资源。因此芬兰十分重视开发生物能源，在利用可再生能源特别是生物能源方面走在世界前列。目前，芬兰各种可再生能源使用量已占芬兰整个能源消耗量的四分之一。这些可再生能源主要包括：利用造纸工业在生产中产生的生物淤泥和废木料作燃料，利用水力和风力发电以及太阳能等。在芬兰，可回收的生物燃料、沼气、生物淤泥的使用近年来大大增加，能源作物的推广应用也进入了示范阶段。为保证经济可持续发展，芬兰还积极开发多样化能源产品，并将核能、水电、风能和可再生能源的扩大使用作为未来能源发展的重点。

这段文字的主要内容是什么？

A. 介绍芬兰的能源　　B. 介绍芬兰利用可再生能源的情况

C. 介绍芬兰利用太阳能的情况　　D. 介绍芬兰利用风力发电的情况

3. “小山户外”负责人李万军也是绿领一族，想当年拼命工作，身体变差才意识到忽略了很多。“我开始参加户外运动，身体好了，工作效率提高了，心态也平和了许多。”尝到了甜头的李万军，干脆彻底投身户外俱乐部，让更多的人加入到绿领的健康生活中来。在他的带动下，身边的朋友出现了越来越多的绿领。

李万军为什么参加户外运动？

A. 拼命工作　　B. 身体变差　　C. 身体很好　　D. 工作效率很高

4. 近几年来，公益和环保理念之所以为这些年轻人所乐意所拥护，不只是因为这种生活方式的健康和正确，也因为它的时尚性。年轻人从事公益不再被视为是一种个人牺牲和一种受苦过程，它当然是一种贡献，但也是一种机会，是使自己得到锻炼和发展的机会。

下面四句话中，哪句不是这些年轻人投身公益和环保事业的原因？

A. 因为这种生活方式是健康和正确的　　B. 因为它具有时尚性

C. 是贡献也是机会　　　　D. 是牺牲也是受苦

5. 2005 年 5 月，吕艳作为环保志愿者参加了“2005·地球第三极珠峰环保大行动”，和其他近百名参与者一起，对珠穆朗玛峰海拔 5120 米大本营至海拔 8000 米之间的登山废弃物进行全面清理。在那次活动中，志愿者们克服了冰雹、大雪、太阳灼晒、八级山风、严重高原反应等难以想象的困难，用双手捡拾废弃物达 400 多袋。

“尽管单一次活动捡不了多少垃圾，但它具备很强的象征意义。”吕艳说，“户外活动爱好者大多数都是环保主义者。因为爱好自然的人是不希望自然受到破坏的。”

下面哪句话与这段文章不符合？

A. 吕艳参加了一次环保活动　　　　B. 这次活动很轻松

C. 这次活动很困难　　　　D. 这样的活动有很强的象征意义

五 根据各段文字上下文的意思，选择唯一恰当的词语填空

1. 藏羚羊是我国特有的珍稀野生动物，长期以来＿＿(1)＿＿不法分子的大量猎杀，全世界藏羚羊数量已＿＿(2)＿＿上世纪初的几百万只减少到现在的 7 万只左右。＿＿(3)＿＿年六七月份，分布在可可西里各地的雌性藏羚羊就＿＿(4)＿＿集结成群，长途跋涉前往气温凉爽、水草丰美的卓乃湖、太阳湖＿＿(5)＿＿地产仔，一个月后又带着新生的小藏羚羊＿＿(6)＿＿原栖息地。

(1) A. 由于　B. 把　C. 向　D. 凭

(2) A. 到　B. 从　C. 在　D. 随着

(3) A. 该　B. 某　C. 每　D. 各

(4) A. 应　B. 敢　C. 会　D. 能

(5) A. 等等　B. 等　C. 如　D. 例如

(6) A. 往　B. 来　C. 返回　D. 住

2. 高原古城拉萨以其湛蓝的天空、清澈的河水、新鲜的空气和令人赏心悦目的环境＿＿(1)＿＿八方来客留下了美好的印象。拉萨的水质＿＿(2)＿＿大气非常干净，是中国污染最少、环境最好的＿＿(3)＿＿。拉萨地区的大气环境，＿＿(4)＿＿没有受到污染，市区上空大气中＿＿(5)＿＿人体有害的二氧化碳浓度每立方米少于 0.1 毫克，大大低＿＿(6)＿＿国家标准。市中心虽然人口密度较大，＿＿(7)＿＿

宗教活动形成的烟尘较多，___（8）___大气中的烟尘总含量仍保持在每立方米0.4毫克以下。

（1）A. 对　　B. 给　　C. 向　　D. 朝
（2）A. 且　　B. 而　　C. 并　　D. 和
（3）A. 城市　　B. 农村　　C. 省　　D. 自治区
（4）A. 实际上　　B. 基本上　　C. 无论　　D. 如何
（5）A. 对　　B. 向　　C. 比　　D. 不如
（6）A. 不如　　B. 不比　　C. 比　　D. 于
（7）A. 因　　B. 为此　　C. 为了　　D. 因此
（8）A. 不是　　B. 而是　　C. 虽　　D. 但

3. 芬兰地处北欧，冬季漫长，气候寒冷，___（1）___民用能耗高，传统的森林工业和冶金工业也是高能耗产业，___（2）___芬兰成为世界上人均能耗最多的国家之一。___（3）___，芬兰的能源资源匮乏，能源消费主要依赖进口。___（4）___，芬兰一直十分重节能工作，长期致力于提高能源的生产和利用效率，___（5）___在可再生能源和节能技术开发的___（6）___，注重对公民进行节能教育。

（1）A. 不仅　　B. 不是　　C. 不过　　D. 不如
（2）A. 被　　B. 使　　C. 把　　D. 连
（3）A. 而是　　B. 而且　　C. 不过　　D. 为此
（4）A. 为了　　B. 因为　　C. 而且　　D. 为此
（5）A. 并　　B. 但　　C. 和　　D. 与
（6）A. 左右　　B. 先后　　C. 同时　　D. 前后

六 根据上下文的意思，在括号内填写一个恰当的汉字

1. 每节车厢的配置几乎与飞机一样，有两套供氧系（　）：一套是“弥散式”供氧，通（　）混合空调系统中的空气供氧，使每节车厢含氧（　）都保持在适当的水平，旅客如（　）进入“氧吧”；另一套是独立的接口吸氧，如果有旅客需要更多的氧（　），可以随时用吸氧管呼（　），以免旅客出现高原反（　）。

2. 上世纪90年代制订的《节约能源法》，如今表（　）出诸多局限性，亟须修改完（　）。一个突出的问题是，对节能监管机制、体制的规定几乎是空

（　　）。没有规定明确的执法主体和监督主体，对节能行政主管部门法律地（　　）及其管理责权的规定不够明（　　）。

3. 始终困扰田桂荣的还有经费问题，但她也没退缩。从回（　　）废旧电池到筹建网站、协会再到组织宣（　　）调研活动，方方面面都需要钱，8 年来，她投入环保事业的钱粗（　　）估计已达 38 万多，除了 8 万多元各种奖（　　）和捐款外，大部分活动经费都是她自掏腰包。

第十三课

宁夏剪纸还能剪多久

（文化—剪纸·深度报道）

（伏兆娥剪纸作品）

课文一

【教与学的提示】

话题背景

民族文化是各民族长期在相对独立的环境中形成的。随着全球化的发展，生活方式的改变，民族文化受到严重影响。近年来，各国政府和民间机构都在积极保护本民族的非物质文化遗产。

体　裁

本文的体裁为深度报道中的预测性报道。

语篇分析

本文分两部分。

第一部分为引子，指出在现代社会许多农村妇女已不再动手剪纸。

第二部分共有两个小标题：

第一个小标题“民俗遗产面临消失和流变”，指出剪纸出现的困境。

第二个小标题“让传统艺术融入现代生活”，指出剪纸的出路在于融入现代生活。

宁夏剪纸还能剪多久

在我国广大农村，剪纸作为民间艺术，曾温暖过许多人的记忆。但是，在现代社会许多农村妇女已不再动手剪纸，偏僻乡村也已很难寻觅剪纸及“剪花娘子”的影子。前不久，记者在位于宁夏南部山区的隆德县采访时发现，这个素有“文化之乡”美称的小县城里，字画、古玩这样的店铺遍布大街小巷，文化用品琳琅满目，却找不到一个卖剪纸的。更多的卖画人展示的都是塑封画或塑料画，色彩倒也绚烂，却难找到剪纸的质朴与纯真。

读后问题 记者发现了什么问题？

民俗遗产面临消失和流变

中国剪纸研究会会员、宁夏剪纸协会副会长伏兆娥回忆说，早些年，农村家家户户过年是少不了窗花的。小时候，每当逢年过节，窗格上一贴上窗花，过年的气息便扑面而来。“现在都变了，跟我一块儿搞剪纸的那些同伴都不搞剪纸了，纸窗户基本没有了，都换成了玻璃窗户。”

据介绍，民间剪纸作为一种文化，有着悠久的历史，靠千千万万民间艺人以口传身授的方式代代传承下来，内容包括民间故事、戏剧人物、花鸟鱼虫等，包罗万象，博大精深。

读后问题 什么是民间剪纸？为什么很多人不搞剪纸了？

邵德舜是中国民间文艺家协会剪纸艺术委员会常委、宁夏剪纸协会会长。他说，宁夏历史上处于多民族融合地段，南北、东西文化交汇，以回乡风情、黄河文化为主要内容的宁夏剪纸艺术在中华剪纸文化艺术宝库中独树一帜。而今，和许多的民间文艺一样，随着工业现代化、乡村城市化步伐的加快，自发传承的宁夏剪纸这一文化遗产正面临消失和流变。宁夏580万人口中，目前经常性地从事剪纸的仅有二三十人，而以剪纸养家糊口赖以生存的只有伏兆娥一人。

邵德舜认为，没有经费成为发展剪纸文化的最大障碍。他说：“现在我们去开会，都得自己掏钱。今年3月份开会是我自己掏的钱，9月份要在武汉东湖搞一个全国展览，也得自己掏钱。我们早就想开个宁夏全区剪纸会，但住在哪儿、要不要给开会人会议补助等都是问题。搞剪纸的多是农民，叫他自己掏钱他就不来了。宁夏剪纸的前景确实让人担忧！”

读后问题 剪纸在中国剪纸艺术

中具有什么特点？

让传统艺术融入现代生活

剪纸是中华民族农耕文化的缩影。它的功用不仅是装饰，还能起到娱乐、教育、休闲等作用。一些专家学者认为，剪纸是优秀的文化遗产，是人类创造的精神财富，不能在人们还没有来得及记录和记住它们的时候，就让它悄然离去，要保存、传承和发展这一民族文化遗产。邵德舜说，剪纸艺术如果在我们这一代消失了，我们就是历史的罪人，上对不起祖先，下对不起后人。

剪纸的失落，有人说是日益丰富的现代生活的冲击，使得原来作为室内主要装饰品的剪纸少了用武之地，也有人说，是因为剪纸不能使艺人赖以生存。这并不全面，因为毕竟还有那么多人对剪纸情有独钟，而伏兆娥正是依赖剪纸，日子过得红红火火。这位宁夏海原县的农家妇女，1997 年举家从海原农村来到镇北堡西部影视城和西夏王陵搞剪纸创作。近 10 年来，从不间断，靠剪纸买了楼房，有了私家车，把剪纸做成了事业，令人刮目相看。如今，在西夏王陵伏兆娥的剪纸摊位前，每天都有络绎不绝的游客前来观赏或者购买伏兆娥的剪纸作品，他们当中，大多数是外省人和外国人。

伏兆娥的成功让众多剪纸爱好者及专家学者看到了希望。邵德舜认为，中国结也是一种传统工艺，近年来在市场上一直走俏。这说明在现代生活中，传统艺术并非找不到容身之地。应该让剪纸融入现代生活，挖掘其潜藏的商机，走产业化的路子，真正找到在现实中的发展空间。

读后问题 剪纸具有什么功用？怎么才能让剪纸艺术得到发展？

（《人民日报》2005 年 8 月 18 日，作者 杜峻晓、杨海明）

新闻词语、句式

一 新闻词语

据介绍、（某人）说/认为 表示信息来源。

二 新闻句式

1. 长定语句

（1）这个素有“文化之乡”美称的小县城里，字画、古玩这样的店铺遍布大街小巷，文化用品琳琅满目。

（2）现在都变了，跟我一块搞剪纸的那些同伴都不搞剪纸了。

（3）民间剪纸作为一种文化，有着悠久的历史，靠千千万万民间艺人以口传身授的方式代代传承下来。

（4）以回乡风情、黄河文化为主要内容的宁夏剪纸艺术在中华剪纸文化艺术宝库中独树一帜。

（5）随着工业现代化、乡村城市化步伐的加快，自发传承的宁夏剪纸这一文化遗产正面临消失和流变。

（6）没有经费成为发展剪纸文化的最大障碍。

（7）剪纸是优秀的文化遗产，是人类创造的精神财富，不能在人们还没有来得及记录和记住它们的时候，就让它悄然离去。

（8）剪纸的失落，有人说是日益丰富的现代生活的冲击，使得原来作为室内主要装饰品的剪纸少了用武之地。

2. **并列项句**

（1）内容包括民间故事、戏剧人物、花鸟鱼虫等，包罗万象，博大精深。

（2）剪纸是中华民族农耕文化的缩影。它的功用不仅是装饰，还能起到娱乐、教育、休闲等作用。

（3）要保存、传承和发展这一民族文化遗产。

3. **同位语句**

中国剪纸研究会会员、宁夏剪纸协会副会长伏兆娥回忆说，早些年，农村家家户户过年是少不了窗花的。

成语

1. 大街小巷	dàjiē xiǎoxiàng	城镇内的大大小小的街道，指任何地方。
2. 琳琅满目	línláng mǎn mù	比喻各种美好的东西很多。
3. 逢年过节	féngnián guòjié	到了节日的时候。
4. 口传身授	kǒuchuán shēnshòu	亲身传授。
5. 扑面而来	pū miàn ér lái	比喻气息很浓。
6. 包罗万象	bāoluó wànxiàng	内容丰富，应有尽有。

7. 博大精深	bódà jīngshēn	思想广博高深。
8. 独树一帜	dú shù yí zhì	比喻自成一体，很独特。
9. 养家糊口	yǎngjiā húkǒu	依靠劳动的收入来供养家庭。
10. 用武之地	yòng wǔ zhī dì	比喻施展才华的地方。
11. 情有独钟	qíng yǒu dú zhōng	对某事物在感情上有特别的爱好。
12. 红红火火	hónghóng huǒhuǒ	生活或事业很旺盛。
13. 刮目相看	guāmù xiāngkàn	改变眼光。
14. 络绎不绝	luòyì bù jué	前后相连，接连不断。
15. 容身之地	róng shēn zhī dì	安身的地方。

生 词

1. 偏僻	piānpì	（形）	交通不便
2. 寻觅	xúnmì	（动）	寻找
3. 娘子	niángzǐ	（名）	对女人的尊称（多见于早期白话）
4. 素有	sùyǒu	（动）	向来有
5. 美称	měichēng	（名）	美好的名字
6. 字画	zìhuà	（名）	书法和绘画作品
7. 古玩	gǔwán	（名）	古代的艺术品
8. 店铺	diànpù	（名）	商店
9. 遍布	biànbù	（动）	到处都有
10. 绚烂	xuànlàn	（形）	色彩耀眼
11. 质朴	zhìpǔ	（形）	朴实
12. 纯真	chúnzhēn	（形）	纯洁天真
13. 流变	liúbiàn	（动）	方向发生变化
14. 窗花	chuānghuā	（名）	剪纸的一种，作为窗上的装饰
15. 窗格	chuānggé	（名）	窗上由木料做成的格子
16. 悠久	yōujiǔ	（形）	历史长
17. 传承	chuánchéng	（动）	继承
18. 融合	rónghé	（动）	结合
19. 地段	dìduàn	（名）	地区

20. 交汇	jiāohuì	（动）	交叉汇合
21. 风情	fēngqíng	（名）	风土人情
22. 宝库	bǎokù	（名）	里面存有宝贝的地方
23. 自发	zìfā	（形）	没有组织
24. 赖以	làiyǐ	（动）	依靠它来
25. 经费	jīngfèi	（名）	活动的费用
26. 障碍	zhàng'ài	（名）	阻碍
27. 掏钱	tāo qián		拿出钱
28. 补助	bǔzhù	（名/动）	补贴的费用；补贴
29. 前景	qiánjǐng	（名）	将来的情况
30. 担忧	dānyōu	（动）	担心
31. 融入	róngrù	（动）	融合进入
32. 农耕	nónggēng	（区）	农业耕种
33. 缩影	suōyǐng	（名）	典型代表
34. 休闲	xiūxián	（动）	休息，过清闲生活
35. 罪人	zuìrén	（名）	有罪的人
36. 祖先	zǔxiān	（名）	祖宗
37. 失落	shīluò	（形）	失去气势
38. 冲击	chōngjī	（动）	使受影响
39. 依赖	yīlài	（动）	依靠
40. 间断	jiànduàn	（动）	中间有停顿
41. 摊位	tānwèi	（名）	摆摊的位置
42. 观赏	guānshǎng	（动）	观看欣赏
43. 中国结	zhōngguójié	（名）	一种艺术品
44. 工艺	gōngyì	（名）	手工艺术
45. 挖掘	wājué	（动）	发掘
46. 潜藏	qiáncáng	（动）	隐藏

练　习

一、根据课文内容简单回答下列问题

1. 塑封画或塑料画与剪纸有什么不同？
2. 早些年，农村家家户户过年为什么要贴窗花？
3. 宁夏剪纸艺术的主要内容是什么？
4. 宁夏剪纸面临消失和流变的原因是什么？
5. 宁夏全区剪纸会没有举办的原因是什么？
6. 伏兆娥取得成功的原因可能是什么？

二、问一下你的同桌，他（她）有没有见过中国剪纸，对这一民间艺术有什么看法

____

____

三、再问一下你的同桌，他（她）居住的地方有没有一种特殊的民间艺术，请他（她）介绍一下

____

____

四、照例子写出下列动词更多的宾语

1. 贴上窗花	贴上______	贴上______	贴上______
2. 搞剪纸	搞______	搞______	搞______
3. 发展剪纸文化	发展______	发展______	发展______
4. 融入现代生活	融入______	融入______	融入______

五、选择合适的词语填进括号内

缩影　　遗产　　悄然　　来得及　　作用　　财富　　传承

剪纸是中华民族农耕文化的（　　）。它的功用不仅是装饰，还能起到娱乐、教育、休闲等（　　）。一些专家学者认为，剪纸是优秀的文化（　　），

是人类创造的精神（　　），不能在人们还没有（　　）记录和记住它们的时候，就让它（　　）离去，要保存、（　　）和发展这一民族文化遗产。

六、用所给词语组成完整的句子

1. A. 楼房　B. 剪纸　C. 她　D. 买了　E. 靠

句子 ____________________

2. A. 现代生活　B. 融入　C. 剪纸　D. 让　E. 应该

句子 ____________________

3. A. 前景　B. 让人担忧　C. 宁夏剪纸　D. 确实　E. 的

句子 ____________________

4. A. 剪纸的希望　B. 看到了　C. 她的成功　D. 人们　E. 让

句子 ____________________

5. A. 这一文化遗产　B. 宁夏剪纸　C. 消失　D. 面临　E. 正

句子 ____________________

6. A. 历史上　B. 地段　C. 融合　D. 宁夏　E. 处于
F. 多民族

句子 ____________________

7. A. 剪纸文化　B. 没有经费　C. 成为　D. 最大障碍　E. 发展
F. 的

句子 ____________________

8. A. 精神财富　B. 创造　C. 人类　D. 的　E. 是　F. 剪纸

句子 ____________________

9. A. 动手剪纸　B. 农村妇女　C. 不再　D. 已　E. 现代社会
F. 许多　G. 在

句子 ____________________

10. A. 民间艺人　B. 民间剪纸　C. 传承　D. 靠

E. 口传身授的方式　　F. 下来　　G. 以

句子 ______________________________

七、请用所给的句子组成一段话，并标出标点符号

1. 句子

A. 是人类创造的精神财富

B. 要保存、传承和发展这一民族文化遗产

C. 不能在人们还没有来得及记录和记住它们的时候，就让它悄然离去

D. 剪纸是优秀的文化遗产

语段 ______________________________

____

2. 句子

A. 南北、东西文化交汇

B. 随着工业现代化、乡村城市化步伐的加快，自发传承的宁夏剪纸这一文化遗产正面临消失和流变

C. 宁夏历史上处于多民族融合地段

D. 而今，和许多的民间文艺一样

E. 以回乡风情、黄河文化为主要内容的宁夏剪纸艺术在中华剪纸文化艺术宝库中独树一帜

语段 ______________________________

____

3. 句子

A. 人们将剪好的图案贴在门楣、窗子、桌子、柜子上

B. 剪纸是一种在纸上剪出来的画

C. 因此我们又称之为“剪画”或“窗花”

D. 以表达自己的喜乐、感情及生活感受

语段 ______________________________

____

课文二

读前准备

选择对下列句子中画线词语的恰当解释

1. 昆剧《桃花扇》在北京首演时，余光中先生观后除了对昆曲之美深为感怀，还多次通过媒体大加赞赏该剧的英文字幕翻译得非常棒，准确而且传神。

   感怀： A. 不感动 B. 感动

   赞赏： A. 赞美 B. 批评

   传神： A. 生动 B. 不生动

2. 我个人特别喜欢中国传统文化中的雅文化，昆曲非常极致地表现了这种文化，任何戏曲都是雅与俗的结合，但昆曲的雅元素更多一些。

   极致： A. 达到最高程度 B. 没有达到最高程度

3. 听着石峻山这些理性的分析，可以感觉到他对昆曲的感情已经远远超出了好奇的范畴，有一种浸润骨髓的真爱。

   好奇： A. 不感兴趣 B. 感兴趣

   浸润骨髓：A. 深入 B. 肤浅

4. 石峻山不仅自己看戏学唱，还像传教士一样，对身边的每个朋友都要宣扬昆曲的美，每次看戏也都会带不同的朋友去接受熏陶。

   宣扬： A. 宣传 B. 宣布

   熏陶： A. 烟熏 B. 影响

5. 那些对昆曲陌生的中国朋友有时会对石峻山说："你让我觉得很惭愧（cánkuì）。""我就是要让你惭愧！"

   惭愧： A. 心里不安 B. 安心

6. 2005年9月，石峻山在南大的学业结束了，可是他觉得自己还不能离开中国，因为难以割舍昆曲。于是他做出了一个常人难以理解的决定：他要想办法留在省昆。

   割舍： A. 离开 B. 不离开

7. 他经常到高校、旅行团、外国驻宁公司去联络，每周都请外国人来看昆曲，还给他们讲解。

   联络： A. 联系 B. 不联系

石峻山：从哈佛高才生到昆曲义工

读前问题 石峻山是谁？

石峻山说，他每天漫步在省昆[1]古色古香的庭院里，耳边飘着典雅优美的昆曲，是一种享受。

昆剧《桃花扇》[2]在北京首演[3]时，余光中先生观后除了对昆曲之美深为感怀，还多次通过媒体大加赞赏该剧的英文字幕翻译得非常棒，准确而且传神。在这些美丽的英文字幕背后，有一位加拿大昆曲义工的动人故事。

这位来自加拿大的昆曲义工，也就是昆剧《桃花扇》的英文翻译，他的中文名字叫石峻山。他曾是哈佛大学高才生，精通英、中、德、法、西班牙、俄罗斯6门语言，因为痴迷昆曲，如今是江苏省昆剧院正式聘用的一名对外业务经理。

读前问题 石峻山是怎么喜爱昆曲的？

2004年11月，石峻山以优异的成绩毕业于哈佛大学东亚文化与语言系，来到南京大学海外学院进修古汉语。在哈佛，他就读过《牡丹亭》[4]和《桃花扇》的剧本片断，来到南京，他特别想看看舞台上昆曲是怎样表演的。当他在朋友的带领下第一次到省昆兰苑小剧场看过一场折子戏[5]后，他惊呆了——世界上怎会有如此美妙的戏曲！从此，他被昆曲牵引着，每周都到省昆看戏，还在曲社学唱老生[6]。

“京剧、川剧这些剧种我也看过，都不太吸引我，昆曲和它们相比更慢，更深，更温柔，更传统。我个人特别喜欢中国传统文化中的雅文化，昆曲非常极致地表现了这种文化，任何戏曲都是雅与俗的结合，但昆曲的雅元素更多一些。”听着石峻山这些理性的分析，可以感觉到他对昆曲的感情已经远远超出了好奇的范畴，有一种浸润骨髓的真爱。

石峻山不仅自己看戏学唱，还像传教士[7]一样，对身边的每个朋友都要宣扬昆曲的美，每次看戏也都会带不同的朋友去接受熏陶。“我用英语向外国人宣传昆曲，用中文向中国人宣传昆曲。”那些对昆曲陌生的中国朋友有时会对石峻山说：“你让我觉得很惭愧。”“我就是要让你惭愧！”虽然是一句玩笑话，却可以听出石峻山传播昆曲的一番苦心。他说：“如果一个80岁老先生热爱昆曲，一个劲儿地向别人介绍，可能别人会不以为然；可是像我这样一个不到25岁的外国小伙儿这么喜欢昆曲，那中国的年轻人也许会考虑，昆曲可能真的很好看，是否该看一次？而昆曲真的非常需要年轻人的兴趣。”

读前问题　*石峻山是怎么开展工作的?*

2005年9月，石峻山在南大的学业结束了，可是他觉得自己还不能离开中国，因为难以割舍昆曲。于是他做出了一个常人难以理解的决定：他要想办法留在省昆。在省演艺集团[8]的帮助下，石峻山办妥了工作签证，正式成为省昆的对外业务经理。

清贫的昆曲事业需要石峻山这样难得的人才，可是只能提供给他1500元的低廉月薪，只够他一月的房租，他需要再做些家教来维持正常的生活开支。“我们现有的条件只能提供给他这点工资，这对石峻山来说只是一个象征性的回报，因为他的工作量远远超过这个数。”省昆院长柯军向记者介绍说，石峻山不仅负责团里所有昆曲演出的英文翻译，兄弟院团找他翻译，他也很乐意帮他们做。除了翻译工作，石峻山还要负责向在南京工作、学习、旅游的外国人推广昆曲演出，他经常到高校、旅行团、外国驻宁[9]公司去联络，每周都请外国人来看昆曲，还给他们讲解。西门子南京公司的老板及助手就是在石峻山的影响下，成了省昆的常客，现在每月都来看戏，还常带公司的朋友来看戏。最近，石峻山又在联络南京国际学校的学生来省昆实习或是做义工，让他们了解昆曲，也为昆曲做些翻译之类的事情。

读前问题　*石峻山有什么打算?*

石峻山说，因为自己热爱昆曲，现在的工作算是为昆曲作点贡献，同时也是一种实地研究。隔两年，他可能想读博士，进行中国戏剧学的研究，海外对这方面的研究几乎是空白。另一方面，他还要拓展自己的翻译工作，除了翻译明清传奇[10]以外，还要把中国当代作家的作品介绍到国外，目前已经联系了苏童，重点翻译他的短篇小说，最近已翻译了一篇《仪式的完成》在海外发表。

（《新华日报》2006年4月18日，
本报记者　汪秋萍）

【注释】

① **省昆**　“江苏省昆曲研究院”的简称。

② **《桃花扇》**　清朝戏曲家孔尚任的作品。

③ **首演**　首次演出。

④ **《牡丹亭》**　明朝戏曲家汤显祖的作品。

⑤ **折子戏**　只表演全本中可以独立演出的一段情节的戏曲（与“本戏”相对）。

⑥ **老生**　戏曲中的老年男子。

⑦ **传教士** 被基督教会派出去传教的人。

⑧ **省演艺集团** “江苏省演出艺术集团”的简称。

⑨ **宁** “南京”的简称。

⑩ **明清传奇** 明朝和清朝时的一种文学体裁。

读后分析讨论

一、用你自己的话介绍一下石峻山

____

____

二、根据课文判断正误

1. 石峻山翻译昆曲的水平比较高。 ( )
2. 石峻山来中国以前就看过昆曲的表演。 ( )
3. 石峻山不太喜欢中国传统文化中的俗文化。 ( )
4. 石峻山是省昆的对外业务经理。 ( )
5. 他需要再做些家教来维持正常的生活开支。 ( )
6. 他只做翻译工作。 ( )
7. 他只打算翻译明清传奇。 ( )

三、找出课文中三个以上长定语句

____

____

四、剪纸和昆曲都是中国优秀的非物质文化，它们有什么不同？你认为应该怎么保护它们？

____

____

第十四课

别让“工业遗产”在无知中消弭

（文化—工业遗产·评论）

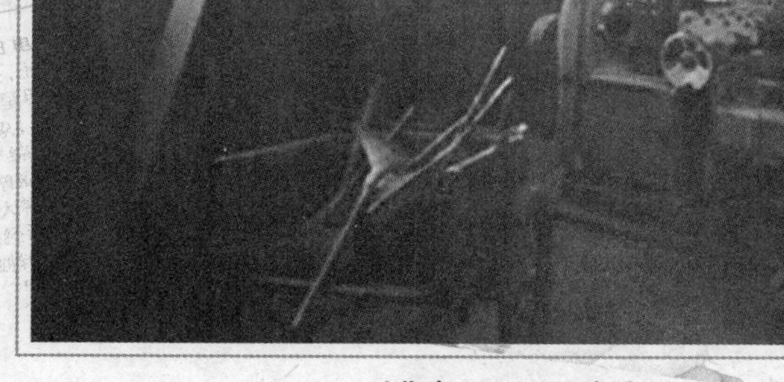

（北京 798 工厂遗址）

课文一

【教与学的提示】

话题背景

自20世纪80年代以来，工业遗产保护在许多老牌工业化国家和国际社会得到了极大的重视。联合国教科文组织1978年成立了国际工业遗产保护委员会（TICCIH）。1986年，英国的铁桥峡谷（Iron Bridge Gorge）被列入《世界遗产名录》，成为第一个工业文明世界遗产。到2005年底，全球已有22个国家的30多处工业遗产列入《世界遗产名录》。

在中国经济高速发展时期，随着城市产业结构和社会生活方式发生变化，传统工业或迁离城市，或面临“关、停、并、转”的局面，各地留下了很多工业旧址、附属设施、机器设备等工业遗存。这些工业遗产是文化遗产的重要组成部分。加强工业遗产的保护、管理和利用，对于传承人类先进文化，保护和彰显一个城市的底蕴和特色，推动地区经济社会可持续发展，具有十分重要的意义。

体　裁

本文的体裁是评论。

语篇分析

本文分四个部分。

第一部分（第一段）是开头，批评一种普遍存在的想法。

第二部分（第二、三段）从正面阐述工业遗产及其所具有的价值。

第三部分（第四段）从反面指出现有对工业遗产的保护是不够的。

第四部分（第五段）得出结论，保护工业遗产是重要的新课题。

别让“工业遗产”在无知中消弥

中华文化有着数千年的文明史，在普通中国人的概念里，文化遗产一般都是比较古老的文物。实际并不尽然。近代工业的遗迹，由于没有被广泛重视，正在大规模的现代化建设中逐渐消失。

读后问题　文化遗产就是比较古老的文物，这种想法对吗？

人类社会发展进程中所经历的每一阶段，都会成为对后人而言的历史。正如原始社会和农业文明时代留给我们许多古迹遗产一样，在18世纪以来的工业化进程中，人类创造了丰富的工业文化。那些承载着工业文明的工业遗存，如建筑物、工厂车间、磨坊、矿山和机械等，如我国的第一条铁路、第一口油井、第一个纺织厂等，正随着时间的推移积淀为具有特定价值的工业遗产。

读后问题　工业遗存物指的是什么？

工业遗址并不像艺术品一样可供玩赏，它也不具有传统意义上很高的古旧价值，但它是人类社会变革时期的工作领域和日常生活的见证，可以帮助我们更好地理解人们在不同历史阶段的生活和工作，它承载的信息，决定了其作为证据的价值。此外，信息时代对传统生活的颠覆、大都市的“逆工业化”趋势以及“后现代”的来临，使人们产生了对工业技术以及这种技术所衍生的社会生活的怀念和失落感，进而催生了“后现代博物馆文化”，传统的工矿企业成为人们体验和追忆过去的场所，催生了工业遗产旅游。工业遗产，不是城市的包袱，而是一座亟待整理、保护和开发的“富矿”。

读后问题　工业遗址具有什么价值？

遗憾的是，很多人认识不到工业遗产的价值，特别是城市建设进入高速发展时期，一些尚未被界定为文物、未受到重视的工业建筑物和相关遗存没有得到有效保护，正急速从现代城市里消失。到目前为止，中国仅有11处近现代工业遗产入选全国重点文物保护单位。工业遗产列入各级文物保护单位的比例较低，政府对工业遗产的数量、分布和保存状况不清，对工业遗产缺乏深入系统的研究，保护理念和经验严重匮乏等，是我国各地对工业遗产保护存在的普遍问题。

读后问题　中国各地对工业遗产的保护存在哪些问题？

工业遗产属于文化遗产范畴，是物

化了的人类工业文化。保护工业遗产，是我国文化遗产保护事业中具有重要性和紧迫性的新课题，阻止工业遗产的大规模消失，是各级政府义不容辞的责任与义务。如何对待和处理大量废弃的工矿、旧设备和工业空置建筑，如何使更多的优秀工业遗产得到认定并妥善保护，如何吸收借鉴发达国家工业遗产保护的经验，形成我国工业遗产保护的整体思路和方法，如何调动社会各界力量参与到工业遗产保护中，无疑是各级政府需要不断思考和实践的新课题。

读后问题　什么是工业遗产？各级政府应该怎么对待工业遗产？

（中国工业遗产保护网站 www.landscape.cn　2006年7月11日，作者　孙化民）

新闻句式

1. 长定语句

（1）人类社会发展进程中所经历的每一阶段，都会成为对后人而言的历史。

（2）那些承载着工业文明的工业遗存，……正随着时间的推移积淀为具有特定价值的工业遗产。

（3）可以帮助我们更好地理解人们在不同历史阶段的生活和工作，它承载的信息，决定了其作为证据的价值。

（4）使人们产生了对工业技术以及这种技术所衍生的社会生活的怀念和失落感。

（5）一些尚未被界定为文物、未受到重视的工业建筑物和相关遗存没有得到有效保护。

（6）工业遗产列入各级文物保护单位的比例较低。

（7）无疑是各级政府需要不断思考和实践的新课题。

2. 并列项句

（1）那些承载着工业文明的工业遗存，如建筑物、工厂车间、磨坊、矿山和机械等，如我国的第一条铁路、第一口油井、第一个纺织厂等，正随着时间的推移积淀为具有特定价值的工业遗产。

（2）信息时代对传统生活的颠覆、大都市的“逆工业化”趋势以及“后现代”的来临，使人们产生了对工业技术以及这种技术所衍生的社会生活的怀念和失落感。

（3）工业遗产，不是城市的包袱，而是一座亟待整理、保护和开发的“富矿”。

（4）工业遗产列入各级文物保护单位的比例较低，政府对工业遗产的数量、分布和保存状况不清，对工业遗产缺乏深入系统的研究，保护理念和经验严重匮乏等，是我国各地对工业遗产保护存在的普遍问题。

（5）如何对待和处理大量废弃的工矿、旧设备和工业空置建筑，如何使更多的优秀工业遗产得到认定并妥善保护，如何吸收借鉴发达国家工业遗产保护的经验，形成我国工业遗产保护的整体思路和方法，如何调动社会各界力量参与到工业遗产保护中，无疑是各级政府需要不断思考和实践的新课题。

成语

义不容辞	yì bù róng cí	道义上不允许推辞。

生词

1. 无知	wúzhī	（形）	缺乏知识
2. 消弥	xiāomí	（动）	逐渐消失
3. 尽然	jìn rán		完全这样（多用于否定）
4. 近代	jìndài	（名）	古代和现代之间
5. 遗迹	yíjì	（名）	遗留下来的痕迹
6. 原始	yuánshǐ	（形）	最初的
7. 遗存	yícún	（名）	遗留下来的东西
8. 车间	chējiān	（名）	企业的一个生产单位
9. 磨坊	mòfáng	（名）	磨面粉等的作坊
10. 矿山	kuàngshān	（名）	开采矿物的地方
11. 机械	jīxiè	（名）	机器等装置
12. 推移	tuīyí	（动）	移动，变化
13. 积淀	jīdiàn	（动）	沉积下来
14. 特定	tèdìng	（区）	某一个（人、时期、地方等）
15. 遗址	yízhǐ	（名）	毁坏的年代久远的建筑等
16. 玩赏	wánshǎng	（动）	观赏
17. 见证	jiànzhèng	（动/名）	亲眼看见/可以作为证据的物品

18. 证据	zhèngjù	(名)	论证的依据
19. 颠覆	diānfù	(动)	推翻
20. 逆	nì	(区)	反
21. 失落感	shīluògǎn	(名)	丢失的感觉
22. 体验	tǐyàn	(动)	亲身感受
23. 追忆	zhuīyì	(动)	回忆
24. 包袱	bāofu	(名)	负担
25. 亟待	jídài	(动)	急需
26. 富矿	fùkuàng	(名)	品位高的矿石，这里比喻重要的财富
27. 界定	jièdìng	(动)	确定范围
28. 急速	jísù	(副)	快速
29. 不清	bù qīng		不清楚
30. 范畴	fànchóu	(名)	范围
31. 物化	wùhuà	(动)	变为有形
32. 紧迫	jǐnpò	(形)	要紧迫切
33. 课题	kètí	(名)	需要解决的问题
34. 阻止	zǔzhǐ	(动)	使停止
35. 废弃	fèiqì	(动)	抛弃不用
36. 工矿	gōngkuàng	(名)	工业和矿业
37. 空置	kōngzhì	(动)	(房屋)空着放在那里没人住
38. 妥善	tuǒshàn	(形)	妥当完善
39. 借鉴	jièjiàn	(动)	参考，参照

一、根据课文内容简单回答下列问题

1. 工业遗存、工业遗址和工业遗产有什么不同？
2. 是什么原因使人们对工业技术以及这种技术所衍生的社会生活产生怀念和失落感？

3. 工业遗迹消失的原因是什么？
4. 作者认为中国有11处近现代工业遗产入选全国重点文物保护单位，这个数量多不多？
5. 各级政府的责任和义务是什么？

二、问一下你的同桌，在他（她）生活的地方有没有已经得到保护或值得保护的工业遗产

____

____

三、照例子写出下列动词更多的宾语

1. 创造工业文化　　创造______　　创造______　　创造______
2. 保护工业遗产　　保护______　　保护______　　保护______
3. 形成思路　　形成______　　形成______　　形成______
4. 借鉴经验　　借鉴______　　借鉴______　　借鉴______

四、选择合适的词语填进括号内

传统　场所　理解　玩赏　包袱　颠覆　见证　怀念　决定

工业遗址并不像艺术品一样可供（　　），它也不具有（　　）意义上很高的古旧价值，但它是人类社会变革时期的工作领域和日常生活的（　　），可以帮助我们更好地（　　）人们在不同历史阶段的生活和工作，它承载的信息，（　　）了其作为证据的价值。此外，信息时代对传统生活的（　　）、大都市的“逆工业化”趋势以及“后现代”的来临，使人们产生了对工业技术以及这种技术所衍生的社会生活的（　　）和失落感，进而催生了“后现代博物馆文化”，传统的工矿企业成为人们体验和追忆过去的（　　），催生了工业遗产旅游。工业遗产，不是城市的（　　），而是一座亟待整理、保护和开发的“富矿”。

五、用所给词语组成完整的句子

1. A. 遗存　　B. 工业文明　　C. 工业　　D. 着　　E. 承载

句子 ____

2. A. 工业遗址　B. 传统意义上　C. 古旧价值　D. 很高的　E. 具有　F. 不

句子 ____________________

3. A. 工业遗产　B. 很多人　C. 认识　D. 价值　E. 不到　F. 的

句子 ____________________

4. A. 工业文化　B. 人类　C. 丰富　D. 创造　E. 了　F. 的

句子 ____________________

5. A. 文物保护单位　B. 中国　C. 近现代工业遗产　D. 仅有 11 处　E. 入选　F. 全国重点

句子 ____________________

6. A. 艺术品　B. 可供玩赏　C. 工业遗址　D. 像　E. 并不　F. 一样

句子 ____________________

7. A. 工业建筑物　B. 重视　C. 相关遗存　D. 受到　E. 和　F. 一些　G. 未

句子 ____________________

8. A. 工业遗产　B. 政府　C. 研究　D. 缺乏　E. 对　F. 的　G. 深入

句子 ____________________

9. A. 时代　B. 农业文明　C. 古迹遗产　D. 留　E. 我们　F. 许多　G. 给

句子 ____________________

10. A. 追忆　B. 场所　C. 人们　D. 成为　E. 传统的工矿企业　F. 的　G. 过去

句子 ____________________

六、请用所给的句子组成一段话，并标出标点符号

1. 句子

A. 具有不可再生性

B. 工业遗产同其他文化遗产一样

C. 才能防止对其随意废弃和盲目拆毁

D. 只有认定和保护工作先行

语段 ______________________________

____

2. 句子

A. 非物质的是指记忆、口传和习惯中留下的工艺、技术等内容

B. 工业遗产从内容上分为可移动、不可移动和非物质三类

C. 不可移动的是指厂房、仓库、码头等建筑物

D. 可移动的工业遗产是指机器、设备等

语段 ______________________________

____

3. 句子

A. 正如原始社会和农业文明时代留给我们许多古迹遗产一样

B. 那些承载着工业文明的工业遗存正随着时间的推移积淀为具有特定价值的工业遗产

C. 人类社会发展进程中所经历的每一阶段，都会成为对后人而言的历史

D. 在 18 世纪以来的工业化进程中，人类创造了丰富的工业文化

语段 ______________________________

____

课文二

读前准备

选择对下列句子中画线词语的恰当解释

1. 记者乘坐的嘉阳小火车是当今世界上为数不多的还在正常运行的蒸汽窄轨载客火车之一。

   A. 数量不多　　B. 数量很多

2. 蒸汽机车长约 10 米，黑色的车身上锈迹斑斑。

   A. 生着很多铁锈　　B. 有一些铁锈

3. 小火车开行在只有普通列车轨距一半的轨道上，略感颠簸。

   A. 感觉不到震动　　B. 有点儿感到震动

4. 在 1959 年芭石铁路建成通车时，嘉阳煤矿曾拥有 10 台蒸汽机车。但今天，只有 4 台蒸汽机车还勉强能正常运行。

   A. 凑合　　B. 完全

嘉阳小火车：与“蒸汽机时代”亲密接触

新华网四川频道 4 月 19 日电（记者**苑坚、白洁**）4 月 18 日，距离乐山大佛 60 公里的四川省乐山市犍为县嘉阳煤矿。新华社记者乘坐上仍在正常运行的古老蒸汽小火车，伴着蒸汽机车的喘息和车厢的晃动，缓缓驶离了跃进站。

读前问题　嘉阳小火车是怎么样的？

记者乘坐的嘉阳小火车是当今世界上为数不多的还在正常运行的蒸汽窄轨载客火车之一。在轨距仅 76.2 厘米、长 19.84 公里的芭石铁路上，这列蒸汽小火车已不间断地运行了近半个世纪。

嘉阳小火车由蒸汽机车和 5 节或 8 节车厢构成。蒸汽机车长约 10 米，黑色的车身上锈迹斑斑，但其独特的蒸汽锅炉、汽笛、制动装置、燃煤炉瞳（tóng）门等，仍见证了它年代的久远。现在，还有 10 号、9 号、7 号和 14 号这 4 辆蒸汽机车能比较正常地运转。

10 号小火车的司炉李正伦今年 50 岁，已经在这个岗位上工作了 20 多年。他说：“我们的蒸汽小火车现在只用来做客车，再跑20年也没问题。车头由蒸汽部分和煤水箱两部分组成，蒸汽部分就是以蒸汽作动力带动车轮，煤水箱下面盛水，上面盛煤。正常情况下，蒸汽机车需要在两到三个月不熄火，只有在检修时才熄火。”

车厢是墨绿色的，短的只有6米长，最长的也不超过10米，车厢之间互不相通。车厢没有玻璃窗，而是从下向上拉起的铁制窗户。23岁的女乘务员吴玉霞告诉记者，这些车厢的年龄也有近50岁了。

读前问题　嘉阳小火车的运营情况怎么样？坐在火车上感觉怎么样？

“呜——”小火车鸣着汽笛，以不超过30公里的时速驶进了芭蕉沟。嘉阳集团董事长范刚告诉记者：“芭石铁路刚建成运营时，小火车是客货混装，后来加挂了几节客车厢。到1978年时，才开始有了客运专列，现在我们每天开行4趟。”

车厢内的座椅是两排相对的木制长椅，一般可以坐20人左右。吴玉霞说，在过年过节时，来往的群众多，一节车厢有时要挤上50人至100人。“我的任务首先是售票，再就是提醒乘客注意安全，不要把头和手伸出车窗外。当然我还有更重要的工作。每节车厢的车门旁边都有一个刹车，在所有的下坡路段，我们都要协助司机刹车，以防止车速过快。”

81岁的嘉阳集团退休工人袁天汉以前做过运输、下井挖煤等工作，他经常乘坐小火车。“去年之前我一直住在芭蕉沟里，进出都要坐小火车。现在我从沟里搬出来了，还经常坐小火车进沟玩。这里没有别的交通（工具）。”袁天汉说，“我是1947年参加工作的，当时的煤车都是用人推。1959年芭石铁路通车后，我就曾在小火车上工作过一个月。”

小火车开行在只有普通列车轨距一半的轨道上，略感颠簸。但在急弯和坡陡的路段，我们不得不抓紧扶手，耳边会传来刺耳的刹车声，但习惯了这一切的乘客依然有说有笑。一位老人告诉记者，他乘坐了几十年小火车，还没听说出过什么安全事故。

来自法国伊西莱莫里诺市雨果中学的老师皮埃尔带着16个学生，也与记者乘坐同一列小火车。皮埃尔说：“没想到第一次来中国就能看到并乘坐这样的小火车，很独特。虽然一路颠簸，灰尘也很大，我想这才是真正的火车吧。”

“呜——”小火车就这样不时地鸣着笛，在芭蕉沟里穿过古老的村寨，穿过开着大片黄花的油菜田，穿过一片片厂区，一座又一座山丘被甩在它的身后。坐在小火车上，蒸汽机车“呼哧呼哧”地喘着粗气，“呜呜”的汽笛声，“咔哒咔哒”的车轮撞击铁轨的声音，仿佛又把人带回了“蒸汽机时代”。

在1959年芭石铁路建成通车时，嘉阳煤矿曾拥有10台蒸汽机车。但今天，只有4台蒸汽机车还勉强能正常运行。也许，过不了多少年，这仅存的“18世纪工业革命的活化石”也将走到生命的尽头。

（新华网 www.xinhuanet.com 2006年4月19日，记者　苑坚、白洁）

读后分析讨论

一、记者最后一句话：“也许，过不了多少年，这仅存的‘18世纪工业革命的活化石’也将走到生命的尽头。”你体会一下是什么意思

____

____

二、根据课文判断正误

1. 芭石铁路的轨距仅76.2厘米、长19.84公里。（　）
2. 嘉阳小火车现在只用来做客车。（　）
3. 嘉阳小火车的车厢没有窗户。（　）
4. 芭石铁路刚建成运营时，小火车只是货车。（　）
5. 售票员的任务只是售票。（　）
6. 嘉阳小火车出过一些安全事故。（　）

三、找出课文中三个以上长定语句

____

____

四、比较一下，坐嘉阳小火车和坐一般的火车有什么相同和不同的地方

____

____

第十五课

元青花拍出天价　存世少质量好

（文化—艺术品·深度报道）

（元青花“鬼谷子下山图”罐）

课文一

【教与学的提示】

话题背景

中国是瓷器之国，瓷器的发明是在陶器技术不断发展和提高的基础上产生的。原始瓷从商朝出现后，经过西周、春秋战国到东汉，由不成熟逐步到成熟。宋朝瓷器，在胎质、釉料和制作技术等方面，又有了新的提高，烧瓷技术达到完全成熟的程度。元朝是宋朝以后的一个朝代，元青花是指元朝时的青花瓷器。

体　裁

本文的体裁是深度报道中的解释性报道。

语篇分析

本文分四个部分。

第一部分为开头，从“鬼谷子下山图”罐的拍卖价引出元青花。

第二部分比较“鬼谷子下山图”罐和“锦香亭图”罐的异同。

第三部分从历史角度说明元青花的价值。

第四部分介绍元青花的流传范围。

元青花拍出天价　存世少质量好

2005年7月12日，元青花“鬼谷子下山图”罐，在英国佳士得以2.3亿元人民币的天价拍出，成为亚洲艺术品中的天字第一号，从而震撼了国内学术界、艺术品收藏界和投资市场，至今仍是研究和爱好中国瓷器者议论的热门话题之一。元青花的艺术、科学、历史价值很高，尤其是商业价值，多年来一直屡攀新高，始终受到国内外艺术品投资收藏家和爱好瓷器人们的青睐与追逐。

读后问题　为什么元青花“鬼谷子下山图”罐能拍出这么高的价钱？

元青花“鬼谷子下山图”罐，故事来自于元代版画《乐毅图齐七国春秋后集》，它表现了战国时代齐、燕交战中，孙膑被燕国囚禁，他的师傅鬼谷子下山营救徒弟的故事。同样的一件元青花“锦香亭图”罐，2005年在香港佳士得也拍出了4900万人民币的高价。该罐上所绘场景出自元代著名剧作家王仲文杂剧《孟月梅写恨锦香亭》，表现了唐玄宗时期才子佳人陈圭与孟月梅曲折的爱情故事，此两罐是稀世珍品——元朝人物故事青花罐八件中的两件。两罐绘画中的主题人物故事虽不一样，但器物的高度、直径等却大致相同。颈部、肩部也都分别绘上了相似纹饰。只可惜“锦香亭图”罐的罐口有了修补，其价值便大大低于“鬼谷子下山图”。元青花瓷器的装饰纹饰大多为牡丹、竹梅、龙纹、莲纹、花鸟等，因此，青花瓷器上历史人物故事的出现，就显得更为珍贵。

读后问题　元青花“鬼谷子下山图”罐和“锦香亭图”罐这两件艺术品有什么相同和不同之处？

我国虽早在唐代就已经烧制青花瓷，但成熟的青花瓷器诞生在元代。元代是一个承前启后的重要时期。元代中晚期景德镇开始大量生产青花瓷器，而且质量很高。青花瓷器从此成为景德镇窑乃至整个中国瓷器生产中的最主要产品，被人们誉之为“国瓷”。同时，元朝还在景德镇设立了全国唯一一所陶瓷管理机构——浮梁磁局。但由于所存资料和器物有限，因此，我们对于元青花的研究和认识，还处在初级阶段。人们常说的元青花主要是指元代晚期（1341—1368）的至正青花，至正青花是元青花的杰出代表，但并不能涵盖整个元代青花瓷器。元青花的存世量少，主要与多年来的征战，以及明初统治者野蛮焚毁元代器物有关。

元代前前后后还不到一百年，作为一个王朝，它虽然短暂，但元青花却是我国瓷器中璀璨夺目的一颗珍珠。有趣的是，各个不同历史时期，如明、清直至民国，仿元青花瓷器几乎没有，因为元青花瓷器当时资料和器物都很缺乏，况且看到的元青花瓷器上也很少书写纪年款识。因此，在元末明初青花瓷器的断代界限上，也每每是仁者见仁智者见智。到了明朝永乐、宣德时期，又是中国青花瓷器的高峰之一，后人中爱好者和牟利者都很关注明朝永乐、宣德的青花瓷器，却忽略了元青花才是真正一座尚未开发的宝藏。一直到上世纪七八十年代，仿元青花瓷器才出现。

读后问题　元青花在中国历史上具有什么地位？

元青花瓷器在我国历史上，曾作为中华传统文化的传播者，大量销往海外的中东地区。它的器型以大件为主，如大盘、大罐、梅瓶、葫芦瓶、玉壶春瓶、扁瓶、长颈瓶、高足碗等。而盘、碗、杯、小罐等小件器则多行销到东南亚一带。在当今世界上，元青花收藏最多的是土耳其的托普卡比宫和伊朗国立考古博物馆。此外，在东南亚的菲律宾、印度尼西亚，东亚的日本，以及西亚、非洲、欧洲、北美等许多国家和地区也都发现与出土了元青花瓷器。

读后问题　元青花传播到哪些地区？

（《安徽日报》2006年6月13日）

新闻句式

1. 长定语句

（1）至今仍是研究和爱好中国瓷器者议论的热门话题之一。

（2）始终受到国内外艺术品投资收藏家和爱好瓷器人们的青睐与追逐。

（3）表现了唐玄宗时期才子佳人陈圭与孟月梅曲折的爱情故事

（4）此两罐是稀世珍品——元朝人物故事青花罐八件中的两件。

（5）青花瓷器上历史人物故事的出现，就显得更为珍贵。

（6）青花瓷器从此成为景德镇窑乃至整个中国瓷器生产中的最主要产品，被人们誉之为“国瓷”。

（7）元代前前后后还不到一百年，作为一个王朝，它虽然短暂，但元青花却是我国瓷器中璀璨夺目的一颗珍珠。

2. **并列项句**

（1）2005年7月12日，元青花“鬼谷子下山图”罐，在英国佳士得以2.3亿元人民币的天价拍出，成为亚洲艺术品中的天字第一号，从而震撼了国内学术界、艺术品收藏界和投资市场。

（2）元青花的艺术、科学、历史价值很高，尤其是商业价值，多年来一直屡攀新高。

（3）元青花瓷器的装饰纹饰大多为牡丹、竹梅、龙纹、莲纹、花鸟等。

（4）有趣的是，各个不同历史时期，如明、清直至民国，仿元青花瓷器几乎没有。

（5）它的器型以大件为主，如大盘、大罐、梅瓶、葫芦瓶、玉壶春瓶、扁瓶、长颈瓶、高足碗等。而盘、碗、杯、小罐等小件器则多行销到东南亚一带。

（6）在东南亚的菲律宾、印度尼西亚，东亚的日本，以及西亚、非洲、欧洲、北美等许多国家和地区也都发现与出土了元青花瓷器。

熟语

1. 天字第一号　tiān zì dì-yī hào　表示最高的、最大的或最强的。
2. 才子佳人　cáizǐ jiārén　有才华的男子和漂亮的女子。
3. 承前启后　chéngqián qǐhòu　继承以前开启以后。
4. 璀璨夺目　cuǐcàn duómù　光彩鲜明。
5. 仁者见仁，智者见智　rénzhě jiàn rén，zhìzhě jiàn zhì　不同的人有不同的看法。

生词

1. 青花	qīnghuā	（名）	这里指一种瓷器
2. 罐	guàn	（名）	一种里面可以放东西的用具
3. 天价	tiānjià	（名）	非常高的价格
4. 拍	pāi	（动）	卖东西的一种方法
5. 震撼	zhènhàn	（动）	震动
6. 攀	pān	（动）	爬
7. 追逐	zhuīzhú	（动）	追求

8. 版画	bǎnhuà	（名）	在版面上雕刻后印出来的画
9. 交战	jiāozhàn	（动）	双方作战
10. 囚禁	qiújìn	（动）	把人关在监狱里
11. 营救	yíngjiù	（动）	想办法救
12. 剧作家	jùzuòjiā	（名）	写剧本的人
13. 杂剧	zájù	（名）	一种戏剧
14. 曲折	qūzhé	（形）	弯曲，复杂
15. 稀世	xīshì	（区）	世间很少有的
16. 珍品	zhēnpǐn	（名）	珍贵的物品
17. 器物	qìwù	（名）	用具
18. 直径	zhíjìng	（名）	通过圆心并且两端都在圆周上的线段
19. 纹饰	wénshì	（名）	起装饰作用的图案等
20. 龙纹	lóngwén	（区）	图案为龙的纹饰
21. 莲纹	liánwén	（区）	图案为莲花的纹饰
22. 烧制	shāozhì	（动）	用火烧的办法来制作
23. 杰出	jiéchū	（形）	出众，不一般
24. 涵盖	hángài	（动）	包括
25. 征战	zhēngzhàn	（动）	出征作战
26. 野蛮	yěmán	（形）	不文明
27. 焚毁	fénhuǐ	（动）	烧毁
28. 短暂	duǎnzàn	（形）	时间短
29. 况且	kuàngqiě	（连）	而且
30. 纪年	jìnián	（名）	记年代
31. 款识	kuǎnzhì	（名）	落款
32. 断代	duàndài	（动）	断定年代
33. 每每	měiměi	（副）	总是
34. 牟利	móulì	（动）	用非法的手段取得利益
35. 忽略	hūlüè	（动）	不重视
36. 宝藏	bǎozàng	（名）	财富
37. 行销	xíngxiāo	（动）	向各地销售
38. 出土	chūtǔ	（动）	考古发掘出来

练　习

一、根据课文内容简单回答下列问题

1. 元青花“鬼谷子下山图”罐的拍卖为什么能震撼国内学术界、艺术品收藏界和投资市场？
2. 元朝人物故事青花罐一共有几件？
3. 为什么元青花“锦香亭图”罐的拍卖价低于“鬼谷子下山图”罐？
4. 元青花瓷器的装饰纹饰主要是什么？
5. 中国是什么时候开始烧制青花瓷的？
6. 最有代表性的元青花是什么？
7. 仿元青花瓷器是什么时候开始的？
8. 大件的元青花瓷器主要卖到什么地方？

二、请你在网上下载一件古玩（最好是瓷器或陶器）图片，并说说它的特征

____

____

三、问一下你的同桌，说说他（她）家里的一件有历史价值或喜欢的器物

____

____

四、照例子写出下列动词更多的宾语

1. 震撼学术界　　震撼______　　震撼______　　震撼______
2. 收藏瓷器　　收藏______　　收藏______　　收藏______
3. 焚毁器物　　焚毁______　　焚毁______　　焚毁______
4. 出土了瓷器　　出土了______　　出土了______　　出土了______

五、选择合适的词语填进括号内

拍　　营救　　表现　　囚禁　　来自

元青花“鬼谷子下山图”罐，故事（　　）于元代版画《乐毅图齐七国

春秋后集》，它（ ）了战国时代齐、燕交战中，孙膑被燕国（ ），他的师傅鬼谷子下山（ ）徒弟的故事。同样的一件元青花“锦香亭图”罐，2005年在香港佳士得也（ ）出了4900万人民币的高价。

六、用所给词语组成完整的句子

1. A. 大量 B. 海外 C. 销往 D. 曾 E. 元青花瓷器

句子 ____________________

2. A. 书写 B. 元青花瓷器 C. 纪年款识 D. 很少 E. 上

句子 ____________________

3. A. 元青花 B. 至正青花 C. 代表 D. 杰出 E. 是 F. 的

句子 ____________________

4. A. 青花瓷器 B. 成熟 C. 元代 D. 诞生 E. 的 F. 在

句子 ____________________

5. A. 收藏家 B. 元青花 C. 青睐 D. 受到 E. 始终 F. 的

句子 ____________________

6. A. 出土 B. 元青花瓷器 C. 在 D. 世界许多地区 E. 都 F. 了

句子 ____________________

7. A. 景德镇 B. 青花瓷器 C. 生产 D. 开始 E. 元代中晚期 F. 大量

句子 ____________________

8. A. 初级阶段 B. 元青花的研究 C. 我们 D. 处在 E. 对 F. 还

句子 ____________________

9. A. 青花瓷 B. 在 C. 烧制 D. 就已经 E. 早 F. 唐代 G. 了

句子 ____________________

10. A. 陶瓷管理机构　B. 设立　C. 全国唯一　D. 元朝
E. 在景德镇　F. 了　G. 一所

句子 ____________________

七、请用所给的句子组成一段话，并标出标点符号

1. 句子

A. 其价值便大大低于“鬼谷子下山图”
B. 颈部、肩部也都分别绘上了相似纹饰
C. 两罐绘画中的主题人物故事虽不一样
D. 此两罐是稀世珍品
E. 但器物的高度、直径等却大致相同
F. 只可惜“锦香亭图”罐的罐口有了修补

语段 ____________________

____

2. 句子

A. 但成熟的青花瓷器诞生在元代
B. 被人们誉之为“国瓷”
C. 而且质量很高
D. 元代中晚期景德镇开始大量生产青花瓷器
E. 我国虽早在唐代就已经烧制青花瓷
F. 青花瓷器从此成为景德镇窑乃至整个中国瓷器生产中的最主要产品

语段 ____________________

____

3. 句子

A. 还出土了大量宋、元、明时期的瓷器
B. 是景德镇市区以外一处相对集中的瓷器生产地
C. 生产时间从五代至明代
D. 景德镇丽阳乡瓷器山瓷窑遗址考古近日发现了元代和明代早期的瓷器窑炉各一座

E. 专家认为这处瓷窑遗址的范围较大

语段

课文二

读前准备

按照次序，理解画线词语及对它们的解释

1. 走进大钟寺，都市的喧嚣与浮躁便立刻被隔在门外，感受到的是一种幽静古朴的氛围。这里没有炎炎夏日引起的烦躁不安，只有苍松翠柏带来的清凉惬意。

   喧嚣（xuānxiāo）：声音又多又杂。　　浮躁：轻浮急躁。

   幽静：安静。　　炎炎夏日：很热的夏天。

   烦躁：烦闷急躁。　　苍松翠柏：绿色的松树和柏树。

   清凉惬（qiè）意：凉快舒适。

2. 沿着主路由南向北逐一参观各个展厅，战国编钟的壮观、佛道钟铃的别致、明清铜钟的大气、永乐大钟的宏伟便一一呈现眼前，令人在目不暇接、大开眼界之余，免不了惊奇和赞叹。

   逐一：逐个。　　别致：特别精致。

   目不暇（xiá）接：东西太多，看不过来。

   大开眼界：增加见识。

3. 走进古朴凝重的历史沿革展厅，一幅幅生动形象的照片和一行行整齐详实的文字讲述着古钟鲜活的历史及发展进程，使人们了解到古钟文化的源远流长。

   古朴凝（níng）重：古色古香，而且很庄重。

   详实：介绍很具体。

   源远流长：历史发展的过程很长。

4. 展厅工作人员拿起木槌敲击编钟，清脆悦耳的钟声随即传出并久久不息，令人心旷神怡，不由自主陶醉其中。

   清脆悦（yuè）耳：声音清楚好听。

   久久不息：过了好长时间也不停下来。

心旷神怡（yí）：心情舒适，精神愉快。

不由自主：不能控制自己。

陶醉其中：沉浸在里面。

5. 早听说它是古钟博物馆的“镇馆之宝”，今日得见庐山真面目，果然要叹一声“名不虚传”。

镇馆之宝：博物馆里最贵重的东西。

庐山真面目：比喻事情的真相或人物的真面目。

名不虚传：确实很好。

6. 永乐大钟形体宏伟，通高 6.75 米，口径 3.3 米，重 46.5 吨，造型精美，钟身遍铸佛教经咒铭文，有汉梵两种文字，总计达 23 万多字，使人禁不住啧啧称奇。

经咒铭（míng）文：佛经和咒语的铭文（铭文是指刻在钟上的字）。

梵（fàn）：古代印度的一种文字。

啧（zé）啧称奇：不断地发出称赞声。

7. 在清代，大钟寺作为皇家寺庙，凡遇国家庆典和释门大事，这口大钟便会被敲响，皇帝多次亲临大钟寺，并敕令在此祈雨。如今，永乐大钟虽历时近 600 年之久，音响仍圆润宏亮，穿透性极强，钟声可传四五十公里，余音达两分钟之久，让人不得不佩服古人铸造工艺的精湛。

释门：佛门，佛教。

亲临：亲自来到。

敕（chì）令：皇帝下命令。

祈（qí）雨：举行仪式，求天下雨。

历时：经历的时间。

圆润宏亮：声音又圆又亮。

穿透性：声音能传到很远的地方的能力。

余音：敲击结束以后还在回响的声音。

精湛（zhàn）：技术水平很高。

8. 我问他们亲眼目睹后感觉如何，只见他俩不约而同地竖起大拇指，响亮地说：“Wonderful!”

目睹（dǔ）：亲眼看。

不约而同：事先没有约好，但采取了同一行动。

9. 在大钟寺古钟博物馆，行走在雕梁画栋的殿宇中，徜徉于精美别致的古钟之间，就如同来到了一个钟的海洋、钟的王国。

雕梁画栋（dòng）：房子的栋梁上有雕刻和绘画。

殿宇（diànyǔ）：宫殿庙宇。

徜徉（chángyáng）：安闲自在地步行。

如同：好像，仿佛。

钟鸣声声绕古今

——记北京大钟寺古钟博物馆

读前问题　大钟寺内的环境怎么样？

走进大钟寺，都市的喧嚣与浮躁便立刻被隔在门外，感受到的是一种幽静古朴的氛围。这里没有炎炎夏日引起的烦躁不安，只有苍松翠柏带来的清凉惬意。沿着主路由南向北逐一参观各个展厅，战国编钟的壮观、佛道钟铃的别致、明清铜钟的大气、永乐大钟的宏伟便一一呈现眼前，令人在目不暇接、大开眼界之余，免不了惊奇和赞叹。

读前问题　为什么叫大钟寺？

大钟寺原名觉生寺，建于清雍正十一年（1733年）正月，落成于十二年冬，是清帝祈雨场所之一。因寺内悬有一口明永乐年间所铸大钟，故又俗称“大钟寺”。1985年10月，大钟寺古钟博物馆创立于此，它是目前全国唯一以收藏、展览、研究、开发利用古钟和古钟资料、传播古钟文化知识为宗旨的专题性博物馆。

读前问题　编钟是怎么样的？

走进古朴凝重的历史沿革展厅，一幅幅生动形象的照片和一行行整齐详实的文字讲述着古钟鲜活的历史及发展进程，使人们了解到古钟文化的源远流长。踏入战国编钟展厅，映入眼帘的一整套编钟是著名的曾侯乙编钟的仿制品。虽说是仿制品，但造型之精美，气势之壮观，仍然给人以极大的视觉冲击力。曾侯乙编钟1978年出土于湖北随县曾侯乙墓，以音域宽广、音调准确著称。展厅工作人员拿起木槌敲击编钟，清脆悦耳的钟声随即传出并久久不息，令人心旷神怡，不由自主陶醉其中。

九亭钟园是一组新修复的建筑，由9座钟亭、32间钟廊组成，悬挂着全国各地有代表性的古钟，大小不一，风格各异，别有一番情趣。

读前问题　永乐大钟是怎么样的？

在大钟寺的最北边，有一座极具特色的建筑，大门之上悬挂着一块匾额，上书“华严觉海”4个大字，为乾隆皇帝御笔亲书，这便是大钟楼了，国宝级文物“永乐大钟”便珍藏于此。早听说它是古钟博物馆的“镇馆之宝”，今日得见庐山真面目，果然要叹一声“名不虚传”。永乐大钟形体宏伟，通高 6.75 米，口径 3.3 米，重 46.5 吨，造型精美，钟身遍铸佛教经咒铭文，有汉梵两种文字，总计达 23 万多字，使人禁不住啧啧称奇。

听工作人员介绍，在清代，大钟寺作为皇家寺庙，凡遇国家庆典和释门大事，这口大钟便会被敲响，皇帝多次亲临大钟寺，并敕令在此祈雨。如今，永乐大钟虽历时近 600 年之久，音响仍圆润宏亮，穿透性极强，钟声可传四五十公里，余音达两分钟之久，让人不得不佩服古人铸造工艺的精湛。在观赏大钟的人群中，有两名外国年轻小伙子特别显眼，他们绕着大钟转了一圈又一圈，目光是那样地专注投入，迟迟不肯把眼神从永乐大钟上移去，仿佛要把大钟的每一处细节都看个清楚明白。笔者好奇心大增，上前与他们交谈。原来，他们是从英国来北京旅游的，听说大钟寺内有这样一口著名的大钟便立刻赶来参观，想把永乐大钟与他们伦敦的大本钟作个比较。我问他们亲眼目睹后感觉如何，只见他俩不约而同地竖起大拇指，响亮地说：“Wonderful!”话音未落，我们三人禁不住一起哈哈大笑。

读前问题　参观完大钟寺有什么感觉？

在大钟寺古钟博物馆，行走在雕梁画栋的殿宇中，徜徉于精美别致的古钟之间，就如同来到了一个钟的海洋、钟的王国。而人的思绪，仿佛也会在不由自主间跟随着钟声回到那已经远去的、曾经辉煌的时代。

（《人民日报 海外版》2006 年 7 月 26 日，作者　孙卿鑫）

读后分析讨论

一、来中国留学，你会去大钟寺参观吗？能说说你的理由吗

____

____

二、根据课文判断正误

1. 大钟寺里幽静古朴，清凉惬意。　（　）
2. 大钟寺是中国最大的以收藏、展览、研究、开发利用古钟和古钟资料、传播古钟文化知识为宗旨的专题性博物馆。　（　）

3. 历史沿革展厅的内容使人们了解到古钟文化的源远流长。（　　）

4. 战国编钟展厅里展出的是1978年出土于湖北随县曾侯乙墓的编钟。（　　）

5. 清代皇帝很少来大钟寺，有时下命令在此祈雨。（　　）

6. 永乐大钟的钟声可以传得很远，不过余音不长。（　　）

三、找出课文中三个以上长定语句

____

____

四、请你介绍一下你去过的一个博物馆

____

____

单元复习五

一 判断所给词语放在句中哪个位置上最恰当

1. 搞剪纸A多是农民B，叫他们自己C掏钱D就不来了。 （ ）
的

2. 剪纸的失落，有人说是日益丰富的现代生活的冲击A，使得原来作为B室内主要装饰品的剪纸少C用武之地D。 （ ）
了

3. 我个人A特别喜欢B中国传统文化中的雅文化，昆曲非常C极致D表现了这种文化。 （ ）
地

4. 工业遗址A并不像艺术品B一样可供玩赏，它也不具有传统意义C很高的古旧价值D。 （ ）
上

5. 遗憾的是，很多人A认识B到C工业遗产的D价值。 （ ）
不

6. A嘉阳小火车B蒸汽机车和C5节或D8节车厢构成。 （ ）
由

7. 在所有的下坡路段，A我们都要B协助司机C刹车，D防止车速过快。 （ ）
以

8. 元青花的艺术、科学、历史价值很高，A是B商业价值，C多年来一直D屡攀新高。 （ ）
尤其

9. 元青花的存世量少，A主要B多年来的征战，以及C明初统治者D野蛮焚毁元代器物有关。 （ ）
与

10. 在清代，大钟寺作为皇家寺庙，A遇国家庆典和B释门大事，C这口大钟便会D被敲响。 （ ）
凡

二　选择恰当的词语填空

1. 小时候，每当逢年过节，窗格上（　　）贴上窗花，过年的气息便扑面而来。

　A. 过　　B. 着　　C. 了　　D. 一

2. 我们现有的条件只能提供（　　）他这点工资，这对他来说只是一个象征性的回报。

　A. 对　　B. 向　　C. 给　　D. 让

3. 西门子南京公司的老板及助手就是在石峻山的影响（　　），成了省昆的常客。

　A. 上　　B. 下　　C. 里　　D. 外

4. 近代工业的遗迹，（　　）没有被广泛重视，正在大规模的现代化建设中逐渐消失。

　A. 由于　　B. 为　　C. 为了　　D. 因此

5. 车厢没有玻璃窗，（　　）从下向上拉起的铁制窗户。

　A. 但是　　B. 而是　　C. 凡是　　D. 可是

6. 正常情况下，蒸汽机车需要在两到三个月不熄火，（　　）在检修时才熄火。

　A. 以便　　B. 只好　　C. 只要　　D. 只有

7. 一直到上世纪七八十年代，仿元青花瓷器（　　）出现。

　A. 才　　B. 就　　C. 可　　D. 但

8. 虽说是仿制品，但造型之精美，气势之壮观，（　　）给人以极大的视觉冲击力。

　A. 突然　　B. 忽然　　C. 仍然　　D. 果然

9. 曾侯乙编钟 1978 年出土（　　）湖北随县曾侯乙墓，以音域宽广、音调准确著称。

　A. 与　　B. 于　　C. 到　　D. 完

10. 剪纸是中华民族农耕文化的缩影。它的功用（　　）是装饰，（　　）能起到娱乐、教育、休闲等作用。

　A. 即使……也……　　B. 因为……所以……

　C. 不仅……还……　　D. 虽然……可是……

三　选择与画线词语意思最接近的解释

1. 民间剪纸的内容包括民间故事、戏剧人物、花鸟鱼虫等，包罗万象，博大精深。

　A. 时间很长　　B. 面积很大　　C. 范围很广　　D. 内容很深

2. 以回乡风情、黄河文化为主要内容的宁夏剪纸艺术在中华剪纸文化艺术宝库中独树一帜。

   A. 成立家庭　B. 自成一家　C. 独往独来　D. 独来独去

3. 石峻山不仅自己看戏学唱，还像传教士一样，对身边的每个朋友都要宣扬昆曲的美，每次看戏也都会带不同的朋友去接受熏陶。

   A. 表扬　B. 批评　C. 欢迎　D. 影响

4. 工业遗产，不是城市的包袱，而是一座亟待整理、保护和开发的“富矿”。

   A. 急需　B. 着急　C. 等于　D. 等待

5. 阻止工业遗产的大规模消失，是各级政府义不容辞的责任与义务。

   A. 不能辞职　B. 不能推辞　C. 可以推辞　D. 能推辞

6. 小火车开行在只有普通列车轨距一半的轨道上，略感颠簸。

   A. 震动　B. 地震　C. 平静　D. 平坦

7. 至正青花是元青花的杰出代表，但并不能涵盖整个元代青花瓷器。

   A. 涵养　B. 涵义　C. 盖子　D. 包括

8. 元代前前后后还不到一百年，作为一个王朝，它虽然短暂，但元青花却是我国瓷器中璀璨夺目的一颗珍珠。

   A. 无光　B. 暗淡　C. 闪亮　D. 闪电

9. 大钟寺原名觉生寺，建于清朝雍正十一年（1733 年）正月，落成于十二年冬，是清朝皇帝祈雨场所之一。

   A. 建成　B. 建设　C. 建造　D. 建筑

10. 我问他们亲眼目睹后感觉如何，只见他俩不约而同地竖起大拇指，响亮地说：“Wonderful!”

   A. 亲自说明　B. 亲自问到　C. 亲自看到　D. 亲自来到

四　快速阅读各段文字，根据内容选择问题的唯一恰当的答案

1. 石峻山不仅负责团里所有昆曲演出的英文翻译，兄弟院团找他翻译，他也很乐意帮他们做。除了翻译工作，石峻山还要负责向在南京工作、学习、旅游的外国人推广昆曲演出，他经常到高校、旅行团、外国驻宁公司去联络，每周都请外国人来看昆曲，还给他们讲解。西门子南京公司的老板及助手就是在石峻山的影响下，成了省昆的常客，现在每月都来看戏，还常带公司的朋友来看戏。最近，石峻山又在联络南京国际学校的学生来省昆

实习或是做义工，让他们了解昆曲，也为昆曲做些翻译之类的事情。

这段文字的主要内容是什么？

A. 介绍石峻山的工作范围　　B. 介绍石峻山的来历

C. 介绍石峻山的履历　　D. 介绍石峻山的学历

2. “呜——”小火车就这样不时地鸣着笛，在芭蕉沟里穿过古老的村寨，穿过开着大片黄花的油菜田，穿过一片片厂区，一座又一座山丘被甩在它的身后。坐在小火车上，蒸汽机车“呼哧呼哧”地喘着粗气，“呜呜”的汽笛声，“咔哒咔哒”的车轮撞击铁轨的声音，仿佛又把人带回了“蒸汽机时代”。

小火车没有通过什么地方？

A. 古老的村寨　　B. 开着大片黄花的油菜田

C. 一片片厂区　　D. 一座座城市

3. 永乐大钟形体宏伟，通高6.75米，口径3.3米，重46.5吨，造型精美，钟身遍铸佛教经咒铭文，有汉梵两种文字，总计达23万多字，使人禁不住啧啧称奇。

这段文字的主要内容是什么？

A. 介绍永乐大钟的声音　　B. 介绍永乐大钟的历史

C. 介绍永乐大钟的形体　　D. 介绍永乐大钟的铭文

4. 湘绣起源于湖南民间刺绣，历史悠久，源远流长。从1958年长沙楚墓中出土的绣品看，早在两千五百多年前的春秋时代，湖南地方刺绣就已有一定的发展。1972年又在长沙马王堆西汉古墓中出土了四十件刺绣衣服，说明远在两千一百多年前的西汉时代，湖南地方刺绣已发展到了较高的水平。此后，在漫长的发展过程中，逐渐培养了质朴而优雅的艺术风格。

这段文字的主要内容是什么？

A. 介绍湘绣的历史　　B. 介绍湘绣的风格

C. 介绍湘绣的考古　　D. 介绍湘绣的特点

5. 嘉阳小火车有7节车厢。不过它实在太小，每节车厢只有20个座位，看起来就像个小中巴。乘务员介绍说：小火车每天有四班，最早的一趟凌晨7时开始发车，风雨无阻，准点率很高，所以当地的住户都养成了听火车呼啸而过的声音来判断时间的习惯。它的起点站是石溪镇，终点站在小巧精致的芭蕉沟。在短短的19.84公里铁路沿线设立了9个小站，其中还有一个“招手停”小站。火车也能招手停，这可真是嘉阳小火车的一大特色。

下面哪一个不属于嘉阳小火车的特色？

A. 有7节车厢　　B. 每节车厢只有20个座位

C. 在全线都可以招手停　　D. 在一个小站能招手停

五　根据各段文字上下文的意思，选择唯一恰当的词语填空

1. “呜——”小火车鸣着汽笛，＿＿(1)＿＿不超过30公里的时速驶进了芭蕉沟。嘉阳集团董事长范刚告诉记者：“芭石铁路刚建成运营＿＿(2)＿＿，小火车是客货混装，＿＿(3)＿＿加挂了几节客车厢。到1978年时，＿＿(4)＿＿开始有了客运专列，现在我们每天开行4＿＿(5)＿＿。”

(1) A. 以　B. 把　C. 向　D. 凭

(2) A. 时候　B. 时间　C. 时　D. 时刻

(3) A. 来　B. 前来　C. 以来　D. 后来

(4) A. 又　B. 才　C. 不　D. 没

(5) A. 场　B. 顿　C. 趟　D. 遍

2. “我用英语向外国人宣传昆曲，用中文向中国人宣传昆曲。”那些＿＿(1)＿＿昆曲陌生的中国朋友有时会对石峻山说：“你让我觉得很惭愧。”“我就是要让你惭愧！”＿＿(2)＿＿是一句玩笑话，却可以听出石峻山传播昆曲的一＿＿(3)＿＿苦心。他说：“如果一个80岁老先生热爱昆曲，一个劲儿地＿＿(4)＿＿别人介绍，可能别人会不以为然；可是像我这样一个不＿＿(5)＿＿25岁的外国小伙儿这么喜欢昆曲，那中国的年轻人也许＿＿(6)＿＿考虑，昆曲可能真的很好看，是否该看一次？＿＿(7)＿＿昆曲真的非常需要年轻人的兴趣。”

(1) A. 对　B. 给　C. 向　D. 朝

(2) A. 不仅　B. 虽然　C. 既然　D. 不管

(3) A. 块　B. 只　C. 个　D. 番

(4) A. 对于　B. 向　C. 比　D. 就

(5) A. 去　B. 到　C. 来　D. 多

(6) A. 必　B. 能　C. 会　D. 将

(7) A. 而　B. 却　C. 连　D. 就

3. 走进古朴凝重的历史沿革展厅，____(1)____生动形象的照片和一行行整齐详实的文字讲述着古钟鲜活的历史及发展进程，____(2)____人们了解到古钟文化的源远流长。

(1) A. 一条条　　B. 一块块　　C. 一幅幅　　D. 一片片

(2) A. 被　　B. 使　　C. 把　　D. 连

六 根据上下文的意思，在括号内填写一个恰当的汉字

1. 剪纸的失落，有人说是日益丰富的现代生活的冲（　　），使得原来作为室内主要装饰品的剪纸少了用武之地，也有人说，是因为剪纸不能使艺人赖以（　　）存。这并不全面，因为毕（　　）还有那么多人对剪纸情有独钟，而伏兆娥正是(　　)赖剪纸，日子过得红红火火。

2. 工业遗产属于文化遗产范（　　），是物化了的人类工业文化。保护工业遗产，是我国文化遗产保护事（　　）中具有重要性和紧迫性的新课（　　），阻止工业遗产的大规（　　）消失，是各级政府义不容辞的责（　　）与义务。如何对待和处理大量废弃的工矿、旧设备和工业空置建（　　），如何使更多的优秀工业遗产得到认定并妥（　　）保护，如何吸收借鉴发达国家工业遗产保护的经（　　），形成我国工业遗产保护的整体思（　　）和方法，如何调动社会各界力量参与到工业遗产保护中，无疑是各级政府需要不断思考和实践的新课题。

3. 元青花瓷器的装饰纹饰大多为牡丹、竹梅、龙纹、莲纹、花鸟等，因此，青花瓷器上历史人（　　）故事的出现，就显得更为（　　）贵。

总复习题

一 回答下列问题

1. 与女护士相比，男护士有哪些优缺点？
2. 当前中国出现海归热的原因是什么？
3. 请你说出三种新职业，请说说这三种职业的特点。
4. “拼”生活包括哪些情况？
5. 什么叫博客？为什么说博客是双刃剑？
6. 定制生活会产生什么影响？请你说说在哪些方面需要定制生活？
7. 请你介绍一下巴菲特这个人。
8. 丁奶奶是怎样养猫的？
9. 请你介绍一下杨英咏这个少年。
10. 青藏铁路在环保方面是怎么做的？
11. 请你介绍一个节能的好办法。
12. 请你介绍一下田桂荣这个人。
13. 宁夏剪纸遇到了什么问题？你认为应该怎么解决？
14. 什么叫工业遗产？请你介绍一个保护工业遗产的好办法。
15. 元青花瓷器为什么拍卖价格很高？

二 解释句子中画线词语的意思，请用它造句

1. 男教师上课不照本宣科，而是天南地北无所不谈。

照本宣科：

造句 ______________________________

2. “海归”中也不乏精英，完全可以与“老外”一争高下。

精英：

造句 ______________________________

3. 到目前为止，国家尚未启动形象设计师国家认证，从业人员鱼龙混杂。

鱼龙混杂：

造句 ______

4. 这 3 个月的收入可以成为你的定心丸，实在工作干得不开心了，你可以无需再忍，愤而挥袖离职。

定心丸：

造句 ______

5. 小马是比较早涉足这个领域的。

涉足：

造句 ______

6. 最近几年，网上购物渐成气候。

渐成气候：

造句 ______

7. “股神”的大手笔确实惊呆了很多人。

大手笔：

造句 ______

8. 孩子们的才艺也让周围的邻居们刮目相看。

刮目相看：

造句 ______

9. 多种统计数据显示，无所事事的 neet 更容易成为社会不安定因素。

无所事事：

造句 ______

10. 总指挥部对野生动物通道重点地段进行全天候监测，摄像机全程记录了藏羚羊的迁徙状况。

全天候：

造句 ______

11. 虽然人民大会堂掀起了“带头”节能的行动，“十一五”规划也明确提出了单位 GDP 降低能耗的要求，但是节能降耗的道路任重而道远。

任重而道远：

造句 ____________________

12. 有一句顺口溜略带夸张地描述了绿领们的生活特征：下班关手机，点菜要维C，周末必出游，随手带垃圾。

顺口溜：

造句 ____________________

13. 石峻山不仅自己看戏学唱，还像传教士一样，对身边的每个朋友都要宣扬昆曲的美，每次看戏也都会带不同的朋友去接受熏陶。

熏陶：

造句 ____________________

14. 也许，过不了多少年，这仅存的“18 世纪工业革命的活化石”也将走到生命的尽头。

活化石：

造句 ____________________

15. 早听说它是古钟博物馆的“镇馆之宝”，今日得见庐山真面目，果然要叹一声“名不虚传”。

庐山真面目：

造句 ____________________

三 在横线上加长定语

1. 王刚二话没说，立即捡起了____________断指。
2. 从出国热到海归热，除了怀念家国的天然情结，其背后有中国综合国力大增所带来的“中国机会”，以及____________巨大个人发展空间。
3. 在公布的 64 项新职业中，____________职业占了近 1/3。
4. “拼生活”的出现，让____________人聚集起来。
5. 她把在美国的所见所闻写成 9 篇日记，发表在自己的博客上，让____________朋友、同事们共享。
6. “定制”这种新的生活方式，改变了____________的传统关系。
7. 在美国，政府对____________遗产要征收遗产税。
8. 一位中年妇女开了门，进入视线的是____________老人。

9. 他到垃圾箱捡＿＿＿＿＿＿塑料瓶等废品去卖。
10. 缺氧，是＿＿＿＿＿＿“第一威胁”。
11. 芬兰是＿＿＿＿＿＿国家。
12. 田桂荣是＿＿＿＿＿＿农民。
13. 民间剪纸作为一种文化，有着悠久的历史，靠＿＿＿＿＿＿方式代代传承下来。
14. ＿＿＿＿＿＿每一阶段，都会成为对后人而言的历史。
15. 元青花的艺术、科学、历史价值很高，尤其是商业价值，多年来一直屡攀新高，始终受到＿＿＿＿＿＿青睐与追逐。

四　用下列词语组成完整的句子

1. A. 紧张　B. 会　C. 很多　D. 都　E. 上手术台　F. 患者　G. 后　H. 特别

句子＿＿＿＿＿＿＿＿＿＿＿＿＿＿＿＿＿＿＿＿

2. A. 海归　B. 个人发展空间　C. 巨大的　D. 全球化　E. 带来　F. 经济　G. 给　H. 了

句子＿＿＿＿＿＿＿＿＿＿＿＿＿＿＿＿＿＿＿＿

3. A. 项　B. 已　C. 认定　D. 得到　E. 新职业　F. 迄今　G. 有　H. 64

句子＿＿＿＿＿＿＿＿＿＿＿＿＿＿＿＿＿＿＿＿

4. A. 费用　B. 他们　C. 分配　D. 比例　E. 路程远近　F. 根据　G. 出租车　H. 按

句子＿＿＿＿＿＿＿＿＿＿＿＿＿＿＿＿＿＿＿＿

5. A. 博客　B. 气氛　C. 通过　D. 球迷们　E. 他　F. 带给　G. 把　H. 现场的

句子＿＿＿＿＿＿＿＿＿＿＿＿＿＿＿＿＿＿＿＿

6. A. 成为　B. 定制　C. 消费模式　D. 逐渐　E. 新的　F. 正　G. 一种

句子＿＿＿＿＿＿＿＿＿＿＿＿＿＿＿＿＿＿＿＿

7. A. 义务　B. 作为　C. 帮助穷人　D. 自己的　E. 把　F. 他们　G. 都　H. 一项

句子 ______________________________

8. A. 动物园　B. 只有　C. 味道　D. 闻到　E. 能　F. 里　G. 这种　H. 在

句子 ______________________________

9. A. 皮鞋　B. 人　C. 小鞋箱　D. 背着　E. 擦　F. 上街　G. 他　H. 给

句子 ______________________________

10. A. 专门　B. 地段　C. 旅游观光车站　D. 青藏铁路　E. 设立　F. 在　G. 的　H. 风景秀丽

句子 ______________________________

11. A. 随着　B. 高速发展　C. 能源问题　D. 突出　E. 越来越　F. 已经　G. 的　H. 经济

句子 ______________________________

12. A. 废电池　B. 每天　C. 送　D. 人　E. 主动　F. 都　G. 来　H. 有

句子 ______________________________

13. A. 剪纸　B. 农村妇女　C. 不再　D. 已　E. 现代社会　F. 许多　G. 在　H. 动手

句子 ______________________________

14. A. 追忆　B. 场所　C. 人们　D. 成为　E. 工矿企业　F. 的　G. 过去　H. 传统的

句子 ______________________________

15. A. 青花瓷　B. 在　C. 烧制　D. 已经　E. 早　F. 唐代　G. 了　H. 就

句子 ______________________________

五　请用所给句子组成一段话，并标出标点符号

1. 句子

A. 其实，在育儿中我们提倡的是父母平分教育任务

B. 一般来说，孩子与父亲相处，能够培养责任心、自信心和独立性

C. 孩子在上中学以前，接触的大多是女性：母亲、老师都是他们生活的直接影响者

D. 我们一直都考虑给孩子一定的男性化教育，所以，幼儿园招收男老师很有必要

E. 性别的差异对孩子性格的塑造非常重要

语段＿＿＿＿＿＿＿＿＿＿＿＿＿＿＿＿＿＿＿＿＿＿＿＿＿＿＿＿＿＿

＿＿＿＿＿＿＿＿＿＿＿＿＿＿＿＿＿＿＿＿＿＿＿＿＿＿＿＿＿＿

2. 句子

A. 通常 Blog 由一个网页构成

B. 在网络上撰写 Blog 的人被称为 Blogger 或 Blog writer

C. 网站管理人员无须详细审核，但仍负责内容的监管

D. 内容一般可以自由上传

E. 博客即 Blog，来源于英文中的 Weblog 一词

语段＿＿＿＿＿＿＿＿＿＿＿＿＿＿＿＿＿＿＿＿＿＿＿＿＿＿＿＿＿＿

＿＿＿＿＿＿＿＿＿＿＿＿＿＿＿＿＿＿＿＿＿＿＿＿＿＿＿＿＿＿

3. 句子

A. 而他自己却一直过着最简单的生活

B. 捐给了天津的多所大学、中学和小学

C. 9 月 23 日早晨，93 岁的白芳礼老人走了

D. 资助了 300 多名贫困学生

E. 这位老人在 74 岁以后的生命中，靠着蹬三轮，挣下 35 万元人民币

语段＿＿＿＿＿＿＿＿＿＿＿＿＿＿＿＿＿＿＿＿＿＿＿＿＿＿＿＿＿＿

＿＿＿＿＿＿＿＿＿＿＿＿＿＿＿＿＿＿＿＿＿＿＿＿＿＿＿＿＿＿

4. 句子

A. “下班关手机，点菜要维 C，周末必出游，随身带垃圾”，这个带点夸张意味

的顺口溜描述着“绿领”的简约生活

B. 那么不管你何种身份收入多少，你就是一个绿领

C. 它不是以职业和收入划分的，而是源于一种生活主张

D. “绿领”区别于白领、金领和蓝领

E. 只要你在善待自己的同时也善待生存环境，崇尚质朴简约

语段 ____

____

5. 句子

A. 第三个就是要保护北京所蕴含的其他历史文化遗产

B. 北京对历史文化名城的保护有一个总体规划

C. 第二个重点是保护过去遗留下来的历史建筑

D. 北京的规划里面有一部分是历史文化名城的保护规划

E. 这个规划强调了三个重点

F. 一个是保护北京的古都的历史文化风貌，其中最重要的就是中心区、皇城区

语段 ____

____